O BRASIL TEM CURA

RACHEL SHEHERAZADE

O BRASIL TEM CURA

mundo**cristão**
São Paulo

Copyright © 2015 por Rachel Sheherazade
Publicado por Editora Mundo Cristão

Todos os direitos reservados e protegidos pela Lei 9.610, de 19/02/1998.

É expressamente proibida a reprodução total ou parcial deste livro, por
quaisquer meios (eletrônicos, mecânicos, fotográficos, gravação e outros),
sem prévia autorização, por escrito, da editora.

CIP-Brasil. Catalogação-na-publicação
Sindicato Nacional dos Editores de Livros, RJ

S546b

    Sheherazade, Rachel
      O Brasil tem cura / Rachel Sheherazade. - 1. ed. - São Paulo : Mundo
Cristão, 2015.

      1. Atualidades - Brasil. 2. Sociedade - Brasil. 3. Política - Brasil. I.
Título.

15-26369   CDD: 306.60981
                                              CDU: 316.663

Categoria: Política

Publicado no Brasil com todos os direitos reservados por:
Editora Mundo Cristão
Rua Antônio Carlos Tacconi, 79, São Paulo, SP, Brasil – CEP 04810-020
Telefone: (11) 2127-4147
www.mundocristao.com.br

1ª edição: novembro de 2015

A Jandy Carneiro de Mesquita (*in memoriam*),
minha mãe adotiva, meu eterno amor.

SUMÁRIO

Agradecimentos	9
Apresentação	11
Prefácio	15
Introdução	19

1. O DIAGNÓSTICO   35
   Integridade no Brasil

2. A DOENÇA   45
   Problemas do Brasil

3. O TRATAMENTO   93
   A renovação do pensamento e
   a transformação individual e social

Conclusão	127
Notas	135
Sobre a autora	141

AGRADECIMENTOS

A Deus, por me amar, abençoar e capacitar, sempre realizando em mim muito mais do que sonhei e pedi.

À Mundo Cristão, por me abrir as portas do mundo literário e realizar um grande sonho.

Ao meu editor, Maurício Zágari, por seu profissionalismo, incentivo e paciência na condução deste trabalho.

Ao meu pai, Dirson, que sempre me inspirou o gosto pela leitura, e à minha amada mãe, Hosana, minha fã número um.

Ao meu marido e grande companheiro, Rodrigo Porto, por me incentivar e me apoiar em todos os momentos de minha caminhada, mesmo os mais difíceis.

Aos meus filhos, Clarinha e Gabriel, minha paz, minha vida, minha maior inspiração. Vocês merecem um Brasil melhor.

APRESENTAÇÃO

Em 2011, o Brasil ficou impressionado com a contundência, a perspicácia e o destemor de uma pouco conhecida apresentadora de um telejornal da Paraíba que, da noite para o dia, ganhou notoriedade por uma opinião que emitiu na pequena bancada do Tambaú Notícias. O editorial que aquela loira de voz firme e olhar seguro fez sobre o carnaval viralizou na Internet numa velocidade assombrosa. Sua postura não passou despercebida pelo empresário Silvio Santos, dono do SBT, que logo a convidou para ancorar o principal noticiário da emissora. Com isso, Rachel Sheherazade deixou de ser uma figura conhecida apenas do público paraibano para, em pouquíssimo tempo, virar celebridade nacional.

Ao contrário de muitos colegas de profissão, que se restringem a ler o texto reproduzido em um *teleprompter*, Rachel logo mostrou ter um diferencial, que virou sua marca registrada: opiniões fortes, no estilo "doa a quem doer", com críticas mordazes e adjetivadas, e uma personalidade marcante. Assim, essa típica representante do jeito *Paraíba masculina, muié macho sim senhor* de ser — para usar a expressão da música de Luiz Gonzaga e Humberto Teixeira — tornou-se uma daquelas pessoas que polarizam opiniões: ou se ama, ou se odeia.

Goste-se dela ou não, fato é que Rachel tornou-se uma formadora de opinião conhecida nacionalmente e conquistou a alcunha não oficial de porta-voz da insatisfação de multidões. Em seus rápidos comentários na televisão, a jornalista dizia o que muitos queriam dizer, dava nome aos bois, punha para escanteio o politicamente correto e botava muitos dedos em feridas que doem em milhões de brasileiros. Uma figura pública com esse perfil naturalmente ganha fãs e desafetos, e com ela não foi diferente. Rachel passou a ser alvo simultâneo de elogios rasgados e ataques furiosos. Em pouco tempo, ganhou o *status* de pessoa polêmica. Não bastasse sua participação na televisão, Rachel tornou-se figura de destaque nas redes sociais e, logo, ganhou também um programa na rádio Jovem Pan.

Numa época da história do Brasil em que setores diferentes da mídia e da sociedade se articulam para promover mudanças que desafiam séculos de história da humanidade, Rachel despontou como uma aguerrida defensora da família, do direito à expressão, da liberdade religiosa, da ética, da integridade, da honestidade e de princípios considerados conservadores e ultrapassados por uns, mas fundamentais e indispensáveis por outros.

O Brasil tem cura nasceu da percepção da Mundo Cristão de que essa paraibana bem casada e mãe de dois filhos tem a importante capacidade de fazer pessoas pensarem, a partir de comentários que incomodam ou motivam, mas jamais passam em branco. Por isso, é pelo entendimento acerca do papel de estímulo de pensamento que Rachel Sheherazade desempenha no Brasil de hoje que a Mundo Cristão decidiu trazer a voz de Rachel também para o universo literário.

Esta obra trata de um assunto importantíssimo e essencial para o Brasil de nossos dias: integridade. Mediante a percepção de que nossa pátria vive enfermidades morais, sociais e culturais que se arrastam por séculos, Rachel propõe caminhos para lapidar o país e passá-lo a limpo, preparando-o para um futuro em que a ética, a justiça e a honestidade façam parte mais vigorosa do DNA nacional. Esses caminhos passam pela renovação da mente de cada indivíduo, pelo abandono proativo de traços culturais patológicos e pela transformação na coletividade, iniciando no individual. Se essa transformação começar hoje, as próximas gerações poderão não só herdar um país melhor, mas participar ativamente da mudança, a partir do desenvolvimento de uma cosmovisão embasada em valores éticos sólidos e convicções inegociáveis. Não é um processo fácil, mas é possível. E que precisa, urgentemente, começar.

Todo brasileiro quer um país melhor. Mas um país melhor é formado pela soma de brasileiros melhores, que pensam, falam e agem tendo por base a firme convicção de que devem fazer o que é melhor para todos, o que é justo, honesto e bom. Se o Brasil tem cura, essa cura começa por nós. Mais ainda: *essa cura somos nós*. Cada indivíduo fazendo a sua parte e ensinando às novas gerações valores e conceitos que sirvam como base de uma sociedade construída sobre a rocha da retidão.

É desejo da Mundo Cristão que as ideias de Rachel Sheherazade contribuam para a dialética de pensamento de cada leitor. E que, mediante o positivo confronto de ideias, muitos consigam transformar suas práticas e seus valores pessoais, aprender com os erros do passado para evitar erros no futuro e ajudar a construir aquele Brasil que todo brasileiro de bem quer.

Boa leitura!

MAURÍCIO ZÁGARI
Editor

PREFÁCIO

Somos um país com um Estado forte e uma sociedade civil frágil. Nossa história é caracterizada por constituições, códigos, leis e decretos, num emaranhado legal caótico. Mas nada consegue regular o bom funcionamento da democracia brasileira. Ética, moralidade, competência, eficiência e compromisso público simplesmente desapareceram. Temos um amontoado de políticos vorazes, saqueadores do erário.

Vivemos uma época de vale-tudo. São raríssimos os homens públicos. Foram substituídos pelos políticos profissionais. Todos querem enriquecer a qualquer preço — e rapidamente —, não importam os meios. Garantidos pela impunidade, sabem que se forem apanhados têm sempre uma banca de advogados, regiamente pagos, para livrá-los de alguma condenação.

São anos marcados pela hipocrisia. Não há mais ideologia; longe disso. A disputa política é pelo poder, que tudo pode e no qual nada é proibido. Pois os poderosos exercem o controle do Estado; controle no sentido mais amplo e autocrático possível. Feio não é violar a lei, mas perder uma eleição, estar distante do governo.

O Brasil de hoje é uma sociedade invertebrada, com raros momentos de reação. O panorama político foi ficando cada vez mais cinzento, o que dificulta identificar as diferenças. Partidos, ações administrativas e programas partidários são meras fantasias, sem significados e facilmente substituíveis. O prazo de validade de uma aliança política, de um projeto de governo, é sempre muito curto. O aliado de hoje é facilmente transformado no adversário de amanhã; tudo porque o que os unia era meramente o espólio do poder.

Neste universo sombrio, somente os áulicos — e são tantos — é que podem estar satisfeitos. São os modernos bobos da corte, que devem sempre alegrar e divertir os poderosos, ser servis, educados e gentis. E não é de bom tom dizer que o rei está nu. Sobrevivem sempre elogiando e encontrando qualidades onde só há o vazio.

Mas a realidade acaba se impondo. Nenhum dos três poderes consegue funcionar com um mínimo de eficiência e republicanismo. Todos estão marcados pelo *filhotismo*, pela corrupção e pela incompetência, nas três esferas: municipal, estadual e federal. O país conseguiu desmoralizar até novidades como as formas alternativas de trabalho social e as organizações não governamentais (ONGs).

A política nacional tem a seriedade das comédias, mas ninguém tem o talento de um bom comediante. Os nossos políticos, em sua maioria, são canastrões. O quadro é desolador. Alguns mal sabem falar. É difícil — muito difícil mesmo, sem exagero — entender do que estão tratando. Em certos momentos, parecem fazer parte de alguma sociedade secreta, pois nós, os pobres cidadãos, temos dificuldade de compreender certas decisões. Mas não se esquecem do ritualismo: se não há seriedade no trato dos assuntos públicos, eles tentam manter as aparências, mesmo que nada republicanas. O Supremo Tribunal Federal tem funcionários apenas para colocar as capas nos ministros (são chamados de "capinhas") e outros para puxar a cadeira, nas sessões públicas, quando alguma excelência tem de se sentar para trabalhar.

Vivemos numa república bufa. A constatação não é feita com satisfação, muito pelo contrário. As notícias são desesperadoras. A falta de compostura virou grife. Parece que quanto mais canalha, melhor. Os corruptos já não ficam envergonhados. Buscam até justificativa histórica para privilégios.

O cidadão, por sua vez, não se habitua a protestar porque não tem quem o ouça. A grande ouvidoria do povo brasileiro é a imprensa. E por quê? Porque o Estado não tem ouvidos. O jornalismo, ao longo da história brasileira, desempenhou papel muito importante. Foi a voz do povo desprezado pelos poderes constituídos. E essa história é longa, basta recordar as lutas memoráveis do abolicionismo, do republicanismo e em defesa de uma sociedade efetivamente democrática.

Em certo momento da nossa história tivemos algum tipo de debate político. Contudo, nas décadas mais recentes fomos virando o país do "sim", preferencialmente do "sim, senhor". Enfrentar esse estado de coisas não é tarefa fácil. Poucos expõem sua posição, a defendem, debatem, remam contra a corrente.

Rachel Sheherazade é uma exceção.

Corajosa, destemida e ousada, rompeu com o jornalismo *nhém-nhém-nhém*, aquele jornalismo chapa branca, que não se posiciona, que sempre está em cima do muro. Ela presta um valoroso serviço público, pois incentiva a mobilização e o debate populares. Rachel demonstra que, ao discordar, precisamos ter argumentos e defendê-los, independentemente de serem populares ou não. Ela mostra ter princípios, em um país que teve um presidente que se caracterizou por ter como princípio não ter princípios. Rachel não tergiversa, mas enfrenta o problema, dá a sua opinião e apresenta sugestões.

O Brasil tem cura é uma reflexão criativa e pessoal sobre a conjuntura complexa que vive o nosso país. Rachel traça um panorama do Brasil, dos seus dilemas — alguns históricos — e, ao mesmo tempo, descreve a sua trajetória como jornalista. Como de hábito, não tem "papas na língua", não se esconde, não tem medo. Tenho certeza de que o leitor vai gostar deste livro corajoso e propositivo.

MARCO ANTONIO VILLA
Historiador, mestre em sociologia, doutor em história e
comentarista de programas jornalísticos

INTRODUÇÃO

Nasci em um país doente. A democracia representativa convalescia no Brasil, pois vivíamos um regime de exceção desde 1964, quando a ditadura militar mudou a realidade do país. Liderados pelo general Olympio Mourão Filho e com forte apoio de setores importantes da sociedade, os militares se anteciparam a um provável golpe comunista no Brasil e depuseram o então presidente João Goulart, que fugiu para o Uruguai. Por vinte anos, cinco militares — dois marechais e três generais — se revezaram no Governo. De 1969 a 1974, o país foi governado pelo general Emílio Garrastazu Médici, sucedido por Ernesto Geisel. Os chamados "anos de chumbo" da ditadura militar foram marcados por perseguições políticas, desaparecimentos, torturas e mortes.

Aprendi logo cedo que, no Brasil de então, não podíamos falar certas coisas. Não raro, flagrava meus pais criticando — quase aos sussurros — o presidente João Figueiredo, sucessor de Geisel. Lembro-me de que, certa vez, tentei maldizer Figueiredo, alto e bom som, mas fui duramente repreendida e censurada por meus pais. Aos 7 anos, eu sentia, pela primeira vez, como era estar amordaçada.

No Brasil dos militares, era proibido discordar. Então, cresci sem ousar dizer o que pensava, sem questionar o que estava estabelecido, sem divergir, sem dizer "não". Em casa, na rua, na música, nas artes, nos templos, nas redações de jornais... não havia espaço para o pluralismo de ideias. Éramos reféns de um Estado policialesco, que vigiava cada opinião e impunha aos cidadãos a ditadura do pensamento único. A "verdade oficial" era a única permitida.

Na segunda metade dos anos 1980, o país já vivia outra fase: a Nova República. A democracia, finalmente, se restabelecia e tudo parecia permitido. Nessa nova era de liberdade, vivi meus "anos rebeldes", protestando com outros estudantes contra o aumento das passagens de ônibus. Participei de algumas passeatas, entoando palavras de ordem, marchando contra as injustiças sociais e contra o que chamavam de "opressão capitalista". Nos anos 1980, não havia ainda os tais *black blocs,* nem os militantes "profissionais", que protestam em troco de mesada e sanduíche. Quem saía às ruas fazia isso espontaneamente e por convicção. Quem assim protestava não se valia do vandalismo para se fazer ouvir. Nossa força era a retórica; nossas armas eram as palavras.

Vieram os anos 1990 e, pela primeira vez desde a redemocratização, um presidente foi eleito por voto direto, o voto do povo. Foi um período de grande esperança. O novo presidente se dizia inimigo mortal dos corruptos e fez fama combatendo os *bon vivants* do serviço público, que recebiam fortunas a título de salários. Com discurso eloquente e caricato, Fernando Collor, ex-governador de Alagoas, se intitulava "o caçador de marajás". No entanto, após dois anos de um mandato marcado por um plano econômico malsucedido e medidas impopulares — como o confisco das poupanças —, o então presidente da República foi acusado pelo próprio irmão, Pedro, de enriquecimento ilícito, tráfico de influência e evasão de divisas.

Uma onda de indignação tomou conta do país. Como tantos outros estudantes por toda a nação, juntei-me ao coro "Fora Collor". De camiseta preta e rosto pintado de verde e amarelo, saí às ruas, em 1992, para exigir o *impeachment* do presidente. O movimento ganhava corpo em todo o país, e a imprensa passou a nos chamar de "caras-pintadas". Diante de tantas pressões, popular e política, em 29 de dezembro daquele ano Collor renunciou, e eu senti, pela primeira vez, que o povo unido e organizado poderia, sim, fazer valer sua vontade e mudar os rumos do país. Eu pensava: "Se ajudamos a destituir um presidente, então ninguém nos derruba...". Enquanto Fernando Collor de Melo descia a rampa do Palácio do Planalto, seu vice era empossado presidente. Subia ao poder Itamar Franco.

Em minha vida pessoal, 1992 também foi um ano de mudanças. Eu, que cursava faculdade de administração de empresas, decidi trocar de rumo e ingressei no curso de jornalismo. A paixão pela comunicação foi mais forte do que o sonho de uma carreira empresarial. Com o fim dos tempos da mordaça e o fortalecimento da democracia no país, eu tinha a esperança (ou a ilusão) de que, como jornalista, poderia exercer meu idealismo e mudar o Brasil pela informação, pela verdade.

Mais madura e sem o peso da censura, ganhei autoconfiança e me senti à vontade para debater temas controversos na faculdade de comunicação, inclusive questionando e contestando professores, até mesmo os mais intransigentes, os "donos da verdade". Mas percebi que, mesmo restituída a liberdade de expressão no Brasil, não era nada fácil discordar ideologicamente de certos docentes da Universidade Federal da Paraíba (UFPB). O fato é que alguns professores eram militantes ferrenhos e verdadeiros aliciadores da esquerda, que não toleravam divergências mínimas que fossem. Suas preleções, não raro, fugiam do objetivo do curso de jornalismo e focavam na militância partidária pura e simples. As aulas se tornavam meros veículos de propaganda político-ideológica e não havia espaço para o debate saudável, muito menos respeito por quem ostentasse ideias mais conservadoras.

Quem quer que discordasse do posicionamento dos professores "comunistas" caía em desgraça e, logo, era perseguido por suas convicções. Aprendi rapidamente que, no ambiente acadêmico, intitular-se "de direita" era confessar-se um antidemocrata, saudoso da ditadura, amante das torturas, enfim, uma completa aberração política e social. No início dos anos 1990, na faculdade de jornalismo da UFPB, quem se identificasse com o pensamento de direita era automaticamente repudiado e condenado ao isolamento dentro do *campus*. Talvez por isso me mantive, por muito tempo, longe de rótulos ideológicos. Ainda mais quando não parecia muito claro para mim o que era ser "de direita" e "de esquerda" no Brasil. Sem qualquer crise de consciência política, identificava-me com princípios de ambos os lados, como o Estado mínimo e as liberdades individuais — bandeiras à direita — e mais justiça social — preceito da esquerda.

Ainda em 1992, aos 18 anos, tive minha primeira experiência profissional, e ela não foi nada exitosa. Durante três meses, dei aulas de inglês numa escola de idiomas, mas jamais recebi o pagamento pelo meu trabalho. Pedi demissão e decidi prestar concurso público para o Tribunal de Justiça da Paraíba. Queria entrar pela porta da frente do mercado de trabalho, sem risco de calote do empregador e sem dever favores a quem quer que seja. Precisava provar minha competência nos exames e conquistar meu espaço profissional por méritos próprios. Assim, matriculei-me no curso de datilografia, requisito essencial aos candidatos naquela época. Comprei apostilas e livros de direito e mergulhei nos estudos. Passei em todas as etapas de provas e, em 1994, fui nomeada escrevente e designada para a Vara da Infância e da Juventude, que tinha como juiz titular Leôncio Teixeira Câmara.

À época, a Vara da Infância acumulava ações cíveis, como adoção, guarda e tutela, e procedimentos especiais contra menores, o que na Justiça comum corresponderia aos processos penais. Essa experiência me possibilitou trabalhar com ações judiciais e lidar com muitos aspectos da legislação, o que me despertou um inédito interesse pelo universo do direito.

Confesso que não era fácil conciliar a vida profissional com a rotina acadêmica. Os horários de trabalho precisavam ser cumpridos à risca e, algumas vezes, as aulas se estendiam até mais tarde. Precisei fazer malabarismos para não abandonar o curso e, por duas vezes, cogitei desistir do jornalismo. Além do mais, questionava se minha vocação não estaria, na verdade, no meio jurídico. Dividida entre as leis e a comunicação, decidi não abrir mão nem do trabalho nem da faculdade e acabei me formando em jornalismo em 1997, após realizar uma grande reportagem sobre a adoção de crianças brasileiras por casais estrangeiros.

Em 1998, tive uma experiência que me ensinou muito sobre o funcionamento das leis no Brasil. Naquele ano, o salário de escrevente estava bastante defasado, após anos sem reajustes pela inflação. Nossa categoria resolveu cruzar os braços em busca de melhorias. Aquela foi a primeira e única greve de que participei em minha vida. Vesti-me de preto e juntei-me aos colegas em frente ao fórum de João Pessoa para protestar por melhores salários. No entanto, a paralisação não durou muito. Para nossa decepção, dois dias depois, a greve dos serventuários foi declarada ilegal e, por isso, tivemos de voltar ao trabalho — com ponto cortado, dias de salário descontados e o pior: sem o devido reajuste. A Justiça alegou que nosso direito à greve existia, mas não havia sido regulamentado. Foi assim que aprendi uma triste realidade nacional: certas leis só existem no papel, pois, sem vontade política, jamais serão aplicadas na prática.

Mesmo com o diploma de jornalista em mãos, eu estava cada vez mais envolvida com o Judiciário e mais apaixonada pelo direito. Por isso, decidi prestar novo concurso vestibular, mas acabei desistindo da ideia quando passei a atuar como repórter de televisão, em 2000. Naquele ano, a afiliada da Rede Record na Paraíba abriu um processo seletivo para jornalistas. Após muita insistência de um amigo, Tresso Medeiros, acabei convencida a concorrer a uma vaga. Ao chegar à porta da emissora, deparei com tantos candidatos que, insegura, quase dei meia-volta, temendo não ser capaz de competir com os recém-formados e vencê-los na disputa pela única vaga de repórter. Mas, para minha surpresa, entre os mais de duzentos jornalistas, acabei sendo escolhida para o cargo. Em pouco tempo, estava tão envolvida e apaixonada pela nova profissão que desisti de tentar a faculdade de direito. Nove meses após o teste para repórter, fui convidada, pela afiliada da Globo, a trocar de emissora. Na nova empresa, atuei dois anos como repórter, até que, em 2002, recebi um novo convite. A afiliada do SBT me "desafiou" a trocar a reportagem de rua pela bancada de um telejornal noturno, o Tambaú Notícias. Foi quando minha vida profissional deu uma nova guinada.

O ano de 2002 foi um marco na política brasileira. Pela primeira vez na história do país, chegava ao poder um "homem do povo". Após ser derrotado nas eleições de 1989, 1994 e 1998, o persistente Luiz Inácio Lula da Silva, do Partido dos Trabalhadores (PT), foi eleito presidente do Brasil, com 53 milhões de votos. Trocamos um sociólogo por um ex-metalúrgico. Emigrante nordestino e sindicalista, Lula convenceu, enfim, com um discurso mais moderado, bem diferente do estilo radical e raivoso das primeiras disputas. Para vencer o tucano José Serra, passou a adotar estratégias de *marketing* traçadas pelo publicitário Duda Mendonça, aliou-se e alinhou-se a lideranças da direita — como José de Alencar, que tornou-se seu vice — e chegou a assinar um pacto em que se comprometia a respeitar contratos e manter a estabilidade econômica, duramente alcançada durante os governos de Itamar Franco e Fernando Henrique Cardoso.

Até chegar ao Executivo, o PT de Lula desfrutava de uma reputação imaculada e se apresentava como paladino da moralidade. Seu discurso de mudança e combate à corrupção parecia genuíno e convenceu muita gente, de progressistas a conservadores. Nesse cenário, em 1º de janeiro de 2003, o ex-operário tomou posse como o líder máximo da nação. Era a primeira vez, desde a redemocratização do país, que um presidente eleito pelo povo passava a faixa presidencial a outro presidente eleito democraticamente.

Como muitos brasileiros, eu também acreditava nas boas intenções do ex-metalúrgico e seu partido de trabalhadores. Eu também achava que o novo governo promoveria avanços nunca vistos no país. Como milhões de brasileiros incautos, eu também fui convencida pela propaganda petista.

Assisti à posse de Lula na redação da emissora de televisão, enquanto me preparava para mais um noticiário local. A chegada de Lula ao Palácio do Planalto estava na pauta da noite e queríamos produzir uma edição histórica, como mandava a ocasião. O 1º de janeiro de 2003 era um dia memorável para nós, jornalistas que ali estávamos, acompanhando a posse daquele "homem do povo", paralisados diante do aparelho de TV — hipnotizados por toda aquela maravilhosa e convincente situação política. Para quem acreditou na mudança, era como um divisor de águas, como se a moralidade do Brasil, enfim, ali nascesse.

No entanto, nem mesmo o mais criativo e competente dos marqueteiros pode sustentar, incólume, uma ficção por muito tempo. Transcorrido um ano da chegada do PT ao poder, as máscaras do partido começaram a cair. Para os eleitores, iniciava, naquele momento, um traumático choque de realidade.

O primeiro grande escândalo do então chamado "partido da moralidade" veio à tona em fevereiro de 2004, quando Waldomiro Diniz, ex-assessor e homem de confiança do então ministro da Casa Civil, José Dirceu, foi flagrado cobrando propina do bicheiro Carlinhos Cachoeira em benefício próprio e do Partido dos Trabalhadores. Na época ele ocupava o cargo de subchefe de assuntos parlamentares da Presidência da República.

Em maio de 2005, eclodia mais um escândalo, envolvendo diretamente o partido de Lula: o Mensalão do PT. Tratava-se de um bem articulado esquema de compra de apoio político mediante desvio de dinheiro público. Nunca antes na história do Brasil se ouviu falar de um caso tão estarrecedor de corrupção política.

O Mensalão era operado pela cúpula do PT, numa trama que envolvia também parlamentares, agentes públicos e empresários. Ao todo, foram desviados mais de 100 milhões de reais dos cofres públicos, fortuna que dificilmente voltará ao seu lugar de origem. A revelação, feita pela revista *Veja,* foi como uma venda retirada à força de olhos que não queriam ver. Mas a verdade estava ali, nua e crua, diante de todos: o PT revelava-se um partido como qualquer outro, com integrantes sujeitos a todas as fraquezas morais e éticas, e passíveis de se corromper. Bastava estar disposto a enxergar: a legenda igualava-se a todas as demais, em vícios e virtudes.

A decepção de grande parcela dos brasileiros com o PT de Lula foi minha também, pois havia depositado no partido confiança e esperança de mudança, de resgate da moralidade. Mas o mal provocado por essa desilusão trouxe-me um bem. Depois desse "choque de realidade", passei a enxergar a política com outros olhos, a acompanhá-la mais de perto, com mais profundidade, ceticismo e interesse. Por fim, lapidei meu senso crítico, com o objetivo de jamais me deixar enganar outra vez.

Na minha vida pessoal, o ano de 2010 foi de mudanças. Encarei, com muito entusiasmo, mais um desafio profissional. Com a saída do então comentarista político do telejornal que eu comandava, a direção da emissora me propôs acumular essa terceira atribuição às minhas funções de âncora e entrevistadora. Não hesitei e aceitei de imediato o convite. Sabia que era uma oportunidade ímpar, pois a TV Tambaú estava disposta a me dar, além de um tempo generoso para minhas inserções, total liberdade de expressão para falar sobre o que eu quisesse e como quisesse.

Assim, a opinião passou a ser o ponto alto do jornal para mim e para os telespectadores. Era um momento pessoal de posicionamento, em que eu poderia compartilhar minha visão dos fatos. E a agenda política era o meu tema favorito. Da bancada do Tambaú Notícias, eu procurava traduzir para o público a realidade política e social, por trás da cortina das informações oficiais, frequentemente tão convenientes e tão pouco convincentes. Nos meus comentários, busquei expor sempre a verdade, ainda que constrangedora. Queria falar exatamente sobre aquilo que os demais omitiam, revelar a essência por trás da aparência e, assim, mostrar o que, aos poderosos, era apropriado esconder. Naquele momento, escolhi fazer a diferença na minha profissão, ser incômoda em vez de omissa, inconveniente em vez de conivente; decidi ser independente em vez de serviçal.

Enquanto minha vida profissional estava repleta de novidades, na política o ano era de continuidade. Após dois mandatos consecutivos de Luiz Inácio Lula da Silva, e apesar do escândalo do Mensalão, o PT ganhou novamente a eleição para presidente no segundo turno. O principal adversário político do Partido dos Trabalhadores, o PSDB do ex-ministro José Serra, não conseguiu convencer o eleitorado, que optou pela ex-ministra de Minas e Energia e ex-ministra-chefe da Casa Civil Dilma Rousseff. Guerrilheira à época do regime militar, Dilma seria a primeira mulher a se tornar presidente da república no Brasil. Escolhi não nutrir muitas expectativas com relação ao novo governo, mas me animava o fato de a

Presidência da República passar às mãos de uma representante do sexo feminino. O ano começava bem para o PT de Lula, que em 1º de janeiro passava a faixa presidencial a sua pupila e sucessora.

O carnaval chegou mais tarde naquele ano de 2011. Em vez de fevereiro, a festa foi comemorada em março. Como se uma semana de folia não fosse muito, na semana anterior ao carnaval algumas cidades costumam celebrar as chamadas "prévias carnavalescas", com trios elétricos e desfiles de blocos pelas ruas. Era o caso da capital paraibana, João Pessoa. Na minha cidade, os foliões teriam, praticamente, duas semanas ininterruptas de carnaval, uma *overdose* de confete e serpentina. Como havia conquistado um espaço de opinião no telejornal que ancorava, resolvi comentar sobre o carnaval, e não medi palavras.

Havia alguns anos que o carnaval me chamava a atenção. Não pelos risos ou pela alegria, mas pelos prejuízos que causava. Na condição de repórter, eu tinha de cobrir o evento na Paraíba mostrando sempre um lado só: o da diversão. Nossas reportagens retratavam a criatividade e o bom humor dos foliões, e descreviam, com entusiasmo quase artificial, o colorido, as fantasias, as alegorias, a animação. Benevolentes, nós, repórteres, omitíamos, durante a festa, os acidentes, as brigas e as mortes, apresentando ao respeitável público a imagem ideal da mais popular festa brasileira, perfeitamente conveniente às prefeituras, ao Estado, aos blocos e aos patrocinadores, que não queriam saber de más notícias nos dias de folia. Mas, então, como comentarista, no espaço de opinião que a emissora generosamente me concedia, teria a chance de falar tudo o que calei quando atuava como repórter. Poderia pôr "a boca no trombone" e lavaria a alma, expressando o que eu realmente via e pensava sobre o carnaval.

No dia do desfile principal das prévias carnavalescas na Paraíba, a chamada "Quarta-feira de Fogo" (como os paraibanos designam a data que marca o desfile do bloco Muriçocas do Miramar), preparei um texto longo. As palavras fluíram como água para o computador e, em pouco tempo, finalizei meu editorial. Como era praxe, não o submeti a nenhum colega, chefe ou editor. Então, pedi à editora do programa, a jornalista Laena Antunes, para encaixar meu texto no roteiro do jornal. Após ler o comentário, minha colega, atônita, indagou: "Rachel, você tem certeza de que quer dizer isso? Hoje é Quarta-feira de Fogo!". De fato, não era o momento mais propício, afinal, a TV Tambaú era uma das patrocinadoras do evento. Como o jornalismo poderia promover a festa e, logo em seguida, criticá-la tão duramente? Ponderei e concordei com Laena que seria mais conveniente fazer o comentário na quinta-feira, o dia seguinte ao desfile.

Naquela tarde de 3 de março de 2011, eu estava muito ansiosa quando chegou o momento de apresentar o último bloco do jornal. Não fazia ideia de como o público reagiria a minha opinião. Sabia que os paraibanos eram apaixonados por carnaval, tão apaixonados que criaram uma semana de prévias para estender a folia ainda mais. Eu poderia me tornar a *persona non grata* número um dos meus conterrâneos por condenar a festa intocável, mas decidi correr o risco. Era preciso coragem para defender aquilo em que acreditava e era fundamental ser autêntica para ser uma jornalista de credibilidade.

Nos segundos que antecederam minha opinião, eu estava tensa. O coração batia mais rápido que o normal. De tão nervosa, temia não conseguir dizer tudo o que escrevera. Receava até mesmo que me tirassem do ar, por falar o que não convinha. Mas, enfim, as primeiras palavras saíram: "Ontem foi Quarta-feira de Fogo e eu não vejo a hora de chegar a quarta-feira de cinzas". Enquanto declamava meu texto, notei que todos do estúdio ficaram em silêncio absoluto. Todos os olhos me miravam, incrédulos. Todos me ouviam, estupefatos. E, após três minutos e meio de desabafo, veio o alívio por ter conseguido dizer cada palavra. Pensei: "Pronto. Falei. Agora, está consumado!".

No intervalo do programa, os colegas me saudaram como em nenhuma outra opinião. Aprovaram meus argumentos e elogiaram minha coragem. Senti-me revigorada. A reação deles no estúdio sempre era, para mim, um termômetro de como os meus comentários seriam recebidos pelo público lá fora.

No fim do dia, voltei para casa, e, à noite, como sempre fazia desde que comecei a interagir com os telespectadores pela Internet, acessei minha conta no *site* de relacionamentos Twitter. Notei algo muito estranho: meu nome era mencionado repetidamente. Muitas pessoas, de todo o Brasil, acessavam meu perfil e me parabenizavam pelo vídeo do carnaval. E eu me perguntava como elas teriam assistido ao programa, já que a emissora era local. Além de tudo, a TV Tambaú ainda não disponibilizava o conteúdo de sua programação via Internet. Então, um internauta me enviou o *link* para o YouTube, onde um telespectador havia postado meu comentário. O número de visualizações passava de centenas de milhares e não parava de crescer. Gente famosa, como Danilo Gentili, então repórter do programa de televisão CQC, e a autora de novelas Glória Perez, também compartilhava o vídeo, apoiando meu posicionamento sobre o carnaval.

Aquilo era simplesmente inacreditável. O número de "seguidores" no Twitter se multiplicou assustadoramente e eu tentava, em vão, responder aos internautas que me interpelavam. A noite passava e eu varava a madrugada interagindo com meus novos "seguidores". Naquela quinta-feira e nos três dias seguintes, minha opinião sobre o carnaval se tornou um dos assuntos mais comentados no Twitter em todo Brasil. Jornais e revistas publicaram reportagens sobre o assunto. Emissoras de rádio me procuraram para entrevistas.

O Brasil queria me ouvir. E eu tinha muito que falar.

Apesar da repercussão nas redes sociais e do assédio da imprensa, eu jamais poderia imaginar que aquele comentário sobre o carnaval me abriria as portas do mercado de trabalho em rede nacional. E, uma semana após a bombástica opinião, recebi um telefonema do SBT. Meu interlocutor se apresentou como Leon Abravanel, diretor de produção da emissora de Silvio Santos. No início, permaneci incrédula e cheguei a cogitar que aquele telefonema fosse um trote. Mas, felizmente, não era.

Leon Abravanel me disse que estava ligando a pedido do próprio dono da emissora. Segundo me relatou, Silvio Santos, de férias nos Estados Unidos, havia tomado conhecimento do meu comentário pela Internet e pedira que a direção do SBT me localizasse para fazer uma proposta de trabalho. Dois dias depois, eu estava a bordo de um avião, rumo a São Paulo, para conversar com a cúpula da emissora e negociar meu primeiro contrato com o SBT.

A emissora queria que eu ancorasse seu principal telejornal, o SBT Brasil, veiculado em horário nobre. Mais do que isso, o "patrão" queria minhas opiniões diariamente no ar. Na ocasião, perguntei aos diretores que assuntos deveria evitar nos meus comentários e qual seria o posicionamento político da empresa. Fiquei surpresa ao me dar conta de que a emissora não tinha amarras ideológicas ou políticas com nenhuma legenda e que qualquer assunto poderia ser abordado, desde que eu me responsabilizasse por minhas opiniões.

No início de abril, eu, meu marido e meus dois filhos nos mudamos para São Paulo. Deixamos, no Nordeste, o antigo trabalho, projetos de vida, amigos e família. Não foi uma mudança fácil. Apesar do contrato de dois anos, estávamos trocando o certo pelo duvidoso. O que nos esperaria naquela "selva de pedra"? Eu não poderia sequer imaginar, mas, com a bênção de Deus, o apoio do meu marido e a companhia dos meus filhos, estava certa de que qualquer dificuldade poderia ser superada. Silvio Santos, o maior comunicador do país, me abriu as portas de sua emissora. Concedeu-me o horário nobre, o microfone aberto e a chance de falar para todo o Brasil. Tudo o que eu tinha de fazer era escrever o que eu pensava e deixar a verdade do meu coração fluir por meio de minhas palavras.

Para o escritor e humanista francês Victor Hugo, as palavras têm "a leveza do vento e a força da tempestade". Para Jesus Cristo, a palavra é tão poderosa que, por meio dela, podemos cair em condenação ou encontrar a redenção (Mateus 12.37).

Suaves como uma brisa, ou graves como as intempéries, palavras têm o poder da transformação quando trazem, consigo, o conhecimento, a verdade... O pouco que sei, as verdades que tenho conhecido, decidi compartilhar com você neste livro. Ao propor esta leitura, desejo que você repense o Brasil, ajude a libertá-lo de seus erros e redimi-lo dos seus males.

Convido-o a, juntos, descobrirmos por que nosso país enveredou por caminhos tão penosos e a refletir acerca de quais escolhas nos têm feito pagar um preço tão alto por sermos brasileiros. Proponho-me a indicar e a contextualizar as que entendo ser algumas das principais mazelas do Brasil, de modo que sirvam de ponto de partida para repensarmos tudo o que precisa ser mudado (desafios que, por serem, muitos, não caberiam todos neste livro).

Mas, não quero apenas apontar a ferida: pretendo apresentar soluções. Tomo emprestada a ousadia dos maus para fazer o bem. Deixo aqui, em forma de conhecimento, pensamentos e palavras, a minha contribuição para que o Brasil volte ao rumo certo. Para que o nosso país resgate, enfim, valores como a justiça, a segurança, o respeito, a cidadania, o patriotismo e a ética, bens que tornam uma pátria um lugar digno de viver.

O Brasil convalescente precisa de cura, libertação e restauração. E, acredite, a salvação deste país depende, também, de você.

Desejo que este livro o ajude a renovar suas esperanças no Brasil e o inspire a ser um agente de transformação, a começar por seu exemplo pessoal, ao converter pensamentos em palavras, palavras em ações e ações em revolução. Comecemos, então, a renovar a mente, para renovar o Brasil.

CAPÍTULO **1**

O DIAGNÓSTICO
Integridade no Brasil

De ponta a ponta [essa terra] é toda praia... muito chã e muito formosa. [...] nos pareceu muito grande; porque a estender olhos, não podíamos ver senão terra e arvoredos. [...] A terra em si é de muito bons ares frescos e temperados. [...] Águas são muitas; infinitas. Em tal maneira é graciosa que, querendo-a aproveitar, dar-se-á nela tudo.

Pero Vaz de Caminha,
trechos da sua carta ao rei de Portugal

Desde que Pero Vaz de Caminha escreveu sua famosa carta de apresentação da então Ilha de Vera Cruz ao rei português Dom Manuel I, as maravilhas tupiniquins começaram a se fazer conhecidas e cobiçadas. A partir de sua descoberta, as terras brasileiras passaram a ser disputadas por portugueses, franceses, holandeses e até ingleses, seduzidos pelos encantos e as riquezas deste lugar. Dimensões continentais, solos férteis, clima diversificado, recursos minerais abundantes, biodiversidade rica... não faltam qualidades a esta pátria privilegiada. E, mesmo transcorridos mais de quinhentos anos da chegada dos europeus, o Brasil ainda encanta o mundo.

Ninguém tem dúvida de que este é um país sem igual. Temos uma democracia consolidada com instituições bem estabelecidas, nos tornamos a sétima economia do mundo, e, agora, somos emergentes, um país a caminho do desenvolvimento. Somos um povo otimista, cordial, tolerante, alegre e acolhedor. No entanto, mesmo sendo o sujeito de tantos predicados, o Brasil está padecendo. Insegurança, violência, corrupção, injustiças... males diversos assolam o país e afligem seus cidadãos.

Os sintomas — medo, revolta, desânimo, tristeza e acomodação — são claros e atingem a todos, indistintamente. Apesar do quadro crônico e aparentemente irremediável, nossa nação não está desenganada, não é caso perdido: o Brasil tem cura. No entanto, antes de partir em busca da solução para nossos muitos problemas, é preciso, primeiro, admiti-los.

Parece uma luta inglória a do cidadão de bem contra os males que o cercam. O brasileiro comum olha em volta e sua percepção é que há mais trevas que luz. A desesperança bateu à porta. Assim mesmo, ele tenta fazer sua parte, inspirando outros por seus próprios exemplos, em atitudes que criam heróis solitários e anônimos. Mas até mesmo as boas ações lhe parecem vãs, pois a impressão é que acabam não influenciando a sociedade no quadro mais amplo.

Incansável, o brasileiro vem tentando combater os erros mediante a multiplicação das virtudes. Como bom semeador, tem esperança de encontrar um solo fértil, onde as ideias, os valores e as boas ações inspirem, cresçam, prosperem e se multipliquem. Mas, numa analogia com a famosa parábola cristã do semeador, muitas sementes caem em solo arenoso, não formam raízes e acabam sucumbindo. Outras são sufocadas pelos espinhos, e não prosperam. Poucas são as sementes que brotam em solo bom, crescem e produzem até cem vezes mais. O cidadão de bem se pronuncia, mas parece que ninguém o escuta, é como se pregasse em vão, lançando palavras ao vento. Pouco a pouco, o bom brasileiro sucumbe ao desalento e, desanimado, perde as últimas esperanças de um Brasil melhor.

Abatido com os desmandos da República, já em 1914 o jurista baiano Rui Barbosa declamava, no Senado, o desânimo do homem honesto. Cem anos depois, seu discurso "Requerimento de Informações sobre o Caso do Satélite — II" traz um texto que segue extremamente atual: "De tanto ver triunfar as nulidades, de tanto ver prosperar a desonra, de tanto ver crescer a injustiça, de tanto ver agigantarem-se os poderes nas mãos dos maus, o homem chega a desanimar da virtude, a rir-se da honra, a ter vergonha de ser honesto".

O sentimento de Rui se manifesta em nossos dias numa versão bem mais sucinta, mas igualmente preocupante: a máxima "O Brasil não tem jeito!". Hoje, essa é uma das frases mais repetidas por meus contemporâneos, exaustos de tanta corrupção, da ignorância arraigada, da criminalidade que se alastra e dos desmandos políticos que desvirtuam o país. Desiludidos, entregamo-nos ao conformismo, assistindo, de camarote, ao país sucumbir a uma crise ética, moral e institucional como nunca vista. Sem remédio aparente para o Brasil, julgamos a pátria remediada.

Somado aos problemas reais, cuja solução adiamos *ad aeternum*, está o nosso *complexo de vira-lata*, termo cunhado pelo perspicaz dramaturgo Nelson Rodrigues e que designa nossa baixíssima autoestima. Ele afirmava que "o brasileiro é um Narciso às avessas, que cospe na própria imagem". E por que isso ocorre? Porque nossa autoimagem é extremamente negativa.

Apesar da independência econômica, do crescimento do agronegócio, da expansão do comércio exterior, da consolidação da democracia; apesar dos evidentes avanços que vivenciamos no Brasil nas últimas décadas... ainda nos enxergamos como um povo colonizado, um país subdesenvolvido, uma nação terceiro-mundista, os primos pobres da América, o quintal da Europa. O mais triste é que esse complexo de inferioridade é culpa exclusivamente nossa, pois acomodamo-nos, aceitamos o rótulo de "derrotados", conformamo nos a estereótipos como os que apontam o brasileiro comum como malandro e o político como ladrão. Nivelamo-nos, todos, por baixo. Aceitamos a pecha de "povo desonesto, preguiçoso, avesso ao trabalho e à leitura", e nos convencemos de que nossas únicas vocações possíveis são o futebol e o carnaval, verdadeiros "orgulhos nacionais". Aliás, comumente confundimos a paixão pelo futebol com amor à pátria, por isso nosso patriotismo só aflora de quatro em quatro anos, quando a seleção verde e amarela entra em campo na Copa do Mundo; um patriotismo fugaz, volúvel, que esmorece e sucumbe quando a derrota bate à porta. Habituamo-nos tanto aos nossos vícios que acabamos por incorporá-los. Agora eles são parte do nosso "jeito brasileiro" de ser, do qual muitos até se orgulham.

Uma grande quantidade de nossos compatriotas chega, inclusive, a desprezar nossa cultura! Embora haja, sim, quem preserve a herança e promova as inovações culturais de nossa pátria, em geral valorizamos tudo o que é estrangeiro: a música, o cinema, a moda, a história. Ironicamente, a cultura *made in Brazil*, tão valorizada além de nossas fronteiras, acaba tendo pouca ou nenhuma importância para grande parte dos brasileiros.

Ignoramos solenemente a memória do nosso país e, por isso, não sabemos quem foram os vilões nem os heróis de nossa história. Desconhecemos nossa trajetória como nação e os caminhos que temos trilhado ao longo do tempo. Não fazemos ideia de quanto nos custou a independência, a transição para a República, o voto, as liberdades, a volta da democracia, a estabilidade econômica. Esquecemo-nos até mesmo da história recente, que vivemos para além dos livros escolares, e por isso repetimos os mesmos erros do passado, como numa maldição recorrente.

Numa visão panorâmica da situação nacional, a sensação é que somos um povo à deriva; cidadãos descompromissados;

habitantes de um país sem rumo, que não sabe de onde veio nem para onde vai. Se desconhecemos nosso país em sua trajetória e suas lutas, em sua beleza e profundidade, como amar e se orgulhar, então, de uma nação que nem sequer compreendemos? Esse desconhecimento da nossa história talvez explique, em parte, a autoimagem distorcida e o senso de inferioridade do brasileiro, nosso *complexo de vira-lata.*

Raízes do Brasil

Por que damos tão pouca importância ao nosso passado? Por que tão poucos brasileiros se comprometem com o futuro do país? Por que somos tão individualistas, paternalistas e patrimonialistas? As respostas podem estar no tipo de colonização que se estabeleceu no Brasil, logo após o descobrimento, e que acabou moldando o caráter do brasileiro, desde a origem, e determinando o futuro do país. Diferentemente do que ocorreu nos Estados Unidos, escolhido como novo lar para os colonizadores ingleses, o Brasil sempre serviu aos portugueses exclusivamente como colônia de exploração.

Nossos colonizadores vieram em busca da riqueza fácil e, via de regra, não tinham interesse em fixar raízes em terras tupiniquins. Individualistas, seu compromisso era com o próprio umbigo, a nossa pátria era vista apenas como um meio para obter o que desejavam; não havia interesse real de fazer algo pelo Brasil, nem em curto, nem em longo prazo. Assim, nossa nação foi erguida sobre os frágeis alicerces de uma colonização egoísta e exploradora. Não é de estranhar que uma cultura tão influenciada pelo individualismo e o desinteresse pelo bem comum, em que sempre imperou a lei do *cada um por si*, acabasse moldando negativamente o caráter de nossa pátria, onde grassam a corrupção e a mentalidade do "jeitinho".

Para os primeiros portugueses, o Brasil recém-descoberto não parecia um lugar auspicioso para se estabelecer. Era uma terra excêntrica, longínqua e selvagem, habitada por feras jamais conhecidas e índios "comedores de gente". No entanto, os relatos de riquezas ocultas a serem desbravadas fascinavam e atraíam aventureiros. Desprovida de títulos ou nobreza, essa gente buscava no novo mundo a chance de fazer fortuna fácil e ascender socialmente, para, em seguida, regressar à pátria mãe.

Em seu revelador livro *Raízes do Brasil*, Sérgio Buarque de Holanda afirma que a colonização portuguesa moldou o caráter dos brasileiros e a definiu como "aventureira": "Essa ânsia de prosperidade sem custo, de títulos honoríficos, de posições e riquezas fáceis, tão notoriamente característica de nossa terra, não é uma das manifestações mais cruas do espírito de aventura?".[1] O autor define com muita objetividade a ambição dos colonizadores: "Seu ideal será colher o fruto sem plantar a árvore".[2] Para ele, "o português vinha buscar a riqueza, mas riqueza que custa ousadia, não riqueza que custa trabalho".[3] Os portugueses de então queriam sugar o máximo que pudessem do Brasil, mas sem o ônus de se fixar, lançar raízes e se comprometer com o futuro desta terra. Isso revela que, desde os primórdios, nossa pátria foi construída sem um real senso de coletividade, tampouco alguma disposição ao sacrifício individual pela comunidade, pelo povo, pela nação.

Por essa razão, convencer os súditos portugueses a ocuparem e se estabelecerem na colônia foi um enorme desafio para a coroa. A fim de contornar essa dificuldade, Portugal passou a enviar ao Brasil um número cada vez maior de degredados, pessoas condenadas pela prática de crimes diversos. Alguns foram banidos das terras lusas por divergências políticas, por crimes religiosos ou de costumes ou por simples "vadiagem". A pena de degredo para o Brasil, é importante frisar, era considerada abominável para os portugueses e, pior do que ela, só a pena de morte. Fica claro que os primeiros habitantes deste solo não nutriam amor sincero pelo país, nem interesse genuíno de construir, aqui, um novo mundo, um novo lar. Inexistia, no Brasil de então, a ideia de pátria, de nacionalismo, de unidade; enfim, a "mentalidade social", em que cada indivíduo se vê como membro de um só corpo. Portanto, em sua grande maioria, os primeiros habitantes do país colocavam-se no centro da vida, desprezando a sociedade ao redor, uma mentalidade transmitida pelas gerações e que, em grande parte, explica o comportamento individualista de muitos brasileiros, ainda hoje.

O desinteresse — e, por que não dizer, o repúdio — pelo novo mundo levava muitos degredados a fugir durante a viagem para o Brasil. Escapavam pelos portos do caminho ou trocavam de navio, voltando a Portugal ou dirigindo-se a outros países. Os degredados que de fato se estabeleceram por aqui acabaram tendo um papel muito importante na colonização e na formação de uma identidade nacional, pois atenderam à demanda de mão de obra local, erguendo fortes, explorando áreas inexpugnáveis, mantendo contato com indígenas mais hostis e, o mais importante, assegurando a presença e o domínio de Portugal em sua colônia mais relevante.

A colonização brasileira também contribui para explicar nossa tendência ao paternalismo. Obedientes, submissos, subalternos, durante mais de trezentos anos fomos colônia do reino de Portugal, subservientes a seus interesses, sujeitos à exploração e dele dependentes. Até hoje, nos orgulhamos de nossa condição de tutelados, talvez até inconscientemente. Mesmo transcorridos quase dois séculos do "grito de independência", ainda não conseguimos andar com as próprias pernas. Somos cidadãos sujeitos a um Estado gigantesco, intromissor, castrador e paternalista. A dependência de programas sociais como o Bolsa Família — o que em países desenvolvidos seria causa de preocupação — no Brasil é motivo de orgulho e até mesmo lema de propaganda política. É como se continuássemos com o mesmo espírito de colônia, dependentes, incapazes e necessitando, sempre, de um braço mais forte a nos conduzir, de uma mão que nos dê o peixe de ban deja sem que precisemos aprender a pescar.

A passividade ante os desmandos é outra característica herdada dos tempos de colônia. Por muitos anos, o Brasil foi palco de desordem e indisciplina. Para a coroa portuguesa, a colônia americana era simplesmente uma provedora de riquezas; para os degredados, uma prisão sem muros e sem guardas; para os aventureiros e caçadores de índios, uma terra de ninguém; para os senhores de engenho e os barões do café, a colônia perfeita, que lhes permitia ter a lei sob os pés. Nem mesmo os ouvidores da coroa, espécie de delatores de infrações e crimes na colônia, conseguiram impor a ordem e a disciplina no Brasil de então, e os relatos de desmandos não eram poucos. Em vez da lei, prevaleciam os privilégios. Era o império do patrimônio, em que mandava quem mais podia, isto é, quem mais possuía. Portugal, por sua vez, fazia vista grossa, e longe de seus olhos instituía-se na colônia a política da tolerância ao crime, à corrupção e às injustiças.

A omissão do governo português teve suas razões. Como era preciso convencer os súditos a ocuparem a colônia e a garantirem o império no Brasil, Portugal ofereceu inúmeras vantagens a quem viesse fora da condição de degredado. Um exemplo são as Capitanias Hereditárias, territórios repartidos pelo rei entre nobres portugueses. Esses fidalgos recebiam muitos privilégios, entre eles o de escravizar índios, criar vilas, distribuir terras e administrar a justiça. Tudo isso sem supervisão alguma.

Apesar dos percalços da nossa colonização, das omissões, da exploração, das injustiças, das escolhas equivocadas, dos vícios maquiados como valores, o Brasil não está condenado a um futuro que repita eternamente os erros do passado. É possível combater toda essa cultura perniciosa herdada de nossos antepassados e mudar o destino do país. Não obstante o quadro crônico e, aos olhos de muitos, irremediável, nossa nação não está desenganada, não é caso perdido. O Brasil tem cura. Nossos males podem ser extirpados!

A renovação do país depende primeiramente da renovação do pensamento, de uma guinada de valores que inspire um novo proceder. Só é possível transformar o Brasil redefinindo nossos modelos mentais, as formas pré-estabelecidas de ver e julgar a realidade para, consequentemente, passarmos a agir de modo diferente. Nenhuma cura é possível se não admitirmos o problema, se não mergulharmos num processo autêntico de *mea culpa* e de autoconhecimento.

"Conhece-te a ti mesmo", desafia-nos a inscrição milenar no antigo templo grego de Delfos. Sigamos, então, o conselho dos sábios que ajudaram a moldar a civilização ocidental, sabendo que o conhecimento é um atalho para a transformação individual que pode mudar o Brasil.

A DOENÇA
Problemas do Brasil

CAPÍTULO **2**

Toda mudança pessoal ou social passa, necessariamente, pela busca da verdade. Conhecer a si mesmo é apenas o primeiro passo. Antes de mudar o país, é preciso mirar-se no espelho, confrontar o passado e o presente, os erros e os acertos. Mas, para enxergar e entender a realidade ao redor — "sair da caverna", como sugeriu o filósofo Platão —, é preciso ir além. No chamado "mito da caverna", descrito na obra *A República*, o sábio grego exorta os prisioneiros a se libertarem dos grilhões da ignorância e enxergarem a realidade além das ilusões; o sol adiante do fogo; a verdade em vez das sombras. Por que não aplicar ao nosso país a proposta de Platão? Assim como os prisioneiros da caverna, temos de buscar a verdade, o conhecimento, sair da inércia mental, do comodismo das ideias e procurar as respostas para os males do Brasil: qual é a verdadeira imagem do país? Qual é o retrato, sem truques e sem retoques, do Brasil de hoje? Que país é este? O templo do carnaval? A nação de chuteiras? O paraíso dos corruptos? O país do futuro? Ou a terra de ninguém? Quais são as chagas que adoecem nossa pátria?

Elaborar um retrato definitivo e completo do Brasil atual é uma missão complexa. Não me proponho a isso, mas convido você a se despir das paixões ideológicas, do otimismo utópico ou do pessimismo exacerbado para tentar enxergar o país como ele é de fato, com realismo e racionalidade, sem paixões nem ressentimentos.

O Brasil, como bem sabemos, é uma terra livre de grandes desastres naturais, como maremotos, *tsunamis*, terremotos, vulcões ativos, tufões, furacões e tornados. Sobram-nos, porém, catástrofes sociais, com altíssimo poder de destruição. Ao contrário das intempéries, esses desastres sociais não vêm dos ares nem emergem do chão. Não são obras do acaso, castigos de Deus ou fenômenos da natureza; são fruto de nossa omissão e de escolhas equivocadas, individualmente, como cidadãos, e coletivamente, como nação.

Violência, impunidade, injustiça, individualismo, ignorância, corrupção endêmica, moral ambígua, comodismo crônico... O Brasil não sofre de um único mal, mas de múltiplas mazelas que inviabilizam o presente e comprometem o futuro da nação. Vamos refletir sobre alguns dos principais males que afligem nossa pátria, lembrando que eles não existem de modo isolado, mas são intimamente ligados, e têm, entre si, uma relação quase condicional, como se cada mazela dependesse da outra para existir e permanecer.

Meu objetivo, neste capítulo, é fazer um raio X do país. Proponho examinarmos sintomas e sinais em busca do diagnóstico preciso para traçar "terapias" contra os males do Brasil. Busquemos, nas raízes de nossa terra, a origem de nossos problemas. Convido você, então, a analisar e refletir, comigo, sobre algumas das mazelas da nação, observando os fatos que as justificam e os números que as comprovam. Assim, talvez, tenhamos uma ideia do conjunto de problemas que constituem o grande mal-estar nacional. Debruçando-nos sobre as estatísticas, chegaremos, certamente, a um diagnóstico preciso. A verdade é, como se diz, um santo remédio.

Entre tantas más notícias, a boa-nova é que o Brasil tem cura. E você é parte dela.

Violência

A violência é o problema mais grave do Brasil.[1] A constatação é do pastor, teólogo e ativista Antônio Carlos Costa, fundador da ONG Rio de Paz, criada em 2006, após uma onda de atentados no Rio de Janeiro que levou à morte dezenove pessoas. De fato, nosso país é extremamente violento. Não é preciso ser delegado, policial, juiz criminal, pesquisador ou recenseador para chegar a essa conclusão. Ao cidadão comum, basta abrir os jornais, assistir aos noticiários ou conversar com qualquer um, e muitas histórias tristes virão à tona.

Casos de violência são tantos e tão frequentes que passaram a fazer parte da rotina do brasileiro. Estatísticas recentes, do Mapa da Violência 2014, contabilizam os homicídios ocorridos em 2012 em todo o país.[2] Os números mostram que 56.337 pessoas foram assassinadas no Brasil ao longo de um ano. Essa é a maior média de homicídios desde 1980 e equivale a 29 mortos para cada grupo de cem mil habitantes. É quase três vezes mais que o limite considerado "suportável" pela Organização Mundial da Saúde (OMS). E olha que, oficialmente, não vivemos um conflito armado e não entramos em guerra contra nenhuma nação, mas é como se fôssemos soldados, encarando uma frente de batalha a cada dia.

Ingenuamente, algumas pessoas até se orgulham em dizer que "somos um país ordeiro, pacífico". Mas as estatísticas mostram que essa afirmação não passa de uma falácia ou propaganda enganosa. Estamos em guerra todos os dias: brasileiros contra brasileiros. Em nossas ruas insalubres morre-se mais e mata-se mais que em muitas trincheiras sangrentas.

Como explicar a violência nossa de cada dia? Como justificar tantos homicídios? Como entender a morte do menino boliviano, assassinado diante da mãe com um tiro na cabeça por chorar durante um assalto? Como aceitar o homicídio do estudante diante das câmeras de segurança, na porta de casa, alvejado mesmo depois de ter entregado o celular ao bandido? Como compreender o assassinato de duas crianças, dois irmãos queimados vivos por uma dívida familiar?

É claro que a violência não é fato novo. Esse fenômeno tem nos acompanhado desde o início dos tempos, por toda a história da humanidade. Desde que o mundo é mundo, o homem sempre esteve dividido entre razão e instinto, paz e guerra, bem e mal. Sim, a violência sempre esteve presente em nosso país, mas, convenhamos, nunca foi tão recorrente e tão banal. Não é exagero dizer que perdemos a medida da maldade.

As raízes da violência urbana no Brasil remontam à época da colonização, fase embrionária da nação. O genocídio indígena, a escravidão africana, a dilapidação sistemática de nossas riquezas pelo império português e as sucessivas invasões estrangeiras foram elementos que ajudaram a forjar o caráter violento de grande parcela da população brasileira.

O próprio nascimento do país é fruto de um ato de violência. Tão logo foi descoberta por Portugal, nossa terra foi tomada por colonizadores ávidos por riquezas e dispostos a tudo para se apossar delas. Assim, justificaram-se barbáries cometidas pelos bandeirantes e outros pioneiros que, em nome da conquista do sertão e a despeito da expansão do território brasileiro, escravizaram e dizimaram um sem-número de indígenas de diversas nações. Para ampliar seu território no interior e conseguir mais mão de obra escrava, os governos gerais também decretaram guerra aos índios, tornando a violência oficial e aceitável. A colonização do Brasil custou, ainda, a vida e a liberdade de milhões de africanos, sequestrados (muitas vezes por tribos vizinhas de seu próprio povo), aprisionados e vendidos como escravos para trabalhar à força para seus senhores.

Além disso, como já vimos, o país se tornara destino de milhares de degredados, desertores e aventureiros que viviam à margem da lei. Com valores e exemplo deturpados, os pioneiros (alguns dos quais criminosos despachados de Portugal) acabaram influenciando e, por que não dizer, até mesmo moldando o caráter de grande parte do povo brasileiro. Aliás, a tradição de acolher criminosos vindos de outros países perdura até hoje no Brasil. Ao longo do tempo, nos tornamos o destino preferido de foras da lei do mundo inteiro e nos firmamos como hospedaria de bandidos. O Brasil construiu a má fama internacional de abrigo seguro para criminosos impunes. Não à toa, esconderam-se neste refúgio carrascos nazistas como Josef Mengele e Gustav Wagner, o ditador paraguaio Alfredo Stroessner e o terrorista italiano Cesare Battisti, que teve o pedido de extradição negado pelo então presidente do Brasil, Luiz Inácio Lula da Silva, numa decisão chancelada, mais tarde, pela Suprema Corte do país.

Dos tempos remotos do Brasil colônia aos dias atuais do Brasil nação, a violência tem recrudescido por motivos diversos. Há uma corrente de pensamento que tenta justificar a violência como consequência direta das desigualdades sociais. Em sua ótica, esses pensadores (geralmente de tendência esquerdista) propagam que as desigualdades sociais são as responsáveis por semear a revolta entre os indivíduos menos favorecidos, e que essa revolta resultaria em ressentimento, ódio e violência. Seguindo essa lógica, chegam à conclusão simplória de que a raiz da violência estaria nas desigualdades entre os indivíduos — desigualdades, por sua vez, fruto do "abominável sistema capitalista". Difícil de acreditar, ainda mais quando sabemos que, mesmo entre as nações mais evoluídas e com criminalidade praticamente nula, como é o caso da capitalista Islândia, não há igualdade social.

Fato é que as sociedades sempre foram desiguais, pela simples razão de que a própria natureza fez as pessoas diferentes entre si. Em seu livro *Histoire philosophique et politique des établissemens et du commerce des Européens dans les deux Indes*, [História filosófica e política dos acordos e do comércio dos europeus nas Índias, tradução livre], o religioso e filó sofo francês Guilherme Thomas François Raynal sentenciou: "Não existe na natureza uma igualdade de direito, e jamais existiu uma igualdade de fato".

Também para o professor e historiador baiano Ático Vilas-Boas da Mota, *igualdade* e *natureza* são incompatíveis. Em seu artigo "Igualdade social: um valor a ser questionado", o estudioso afirma que "na natureza é impossível pensar-se na igualdade universal porque tudo nela se apoia na *diferenciação*, o que implica, portanto, na manifesta *desigualdade*". No entanto, ainda segundo Vilas-Boas, "o homem [...] pode sonhar com a igualdade social como sublime exercício do otimismo, [...] mesmo que as suas ideias estejam apoiadas em sedutoras utopias". [3]

Utopias à parte, as sociedades nada mais são que a união de grupos de pessoas que, apesar de compartilharem costumes e propósitos semelhantes, obviamente constituem-se de indivíduos únicos e desiguais entre si. Nos agrupamentos humanos, sempre houve e sempre haverá diferenças e diferentes: há acomodados e esforçados; solidários e egoístas; imediatistas e visionários; econômicos e perdulários; realistas e idealistas; liberais e conservadores; líderes e liderados; escravos do dinheiro e amantes da liberdade. Enfim, há todo tipo de gente, com todas as nuances de valores e pensamentos. As sociedades são, portanto, plurais, ecléticas, desiguais, reflexo da complexidade dos seres humanos que as compõem.

Longe de serem uma anomalia, as desigualdades sociais geralmente se revelam fruto das tendências naturais de cada indivíduo e consequência, ainda que indireta ou tardia, de escolhas pessoais. A anos-luz da razão, o utópico mundo igualitário ainda encanta muitos idealistas. O lema da Revolução Francesa — Liberdade, Igualdade e Fraternidade — foi mesmo inspirador, mas na prática revelou-se inviável, pois o discurso não se tornou ação. Um dos principais líderes da revolução, o brilhante

A DOENÇA   51

advogado Maximilien de Robespierre, cofundador do partido Jacobino, provou que, muitas vezes, há uma distância abissal entre o que se prega e o que se faz. De fato, após tomar o poder dos reis, o revolucionário iluminista assumiu, ele próprio, o papel de tirano, ajudando a implantar um período de terror na França, com perseguição política e assassinatos. Nem os reis, nem os contrarrevolucionários, nem os aliados do partido escaparam à fúria de sua guilhotina, e o sublime ideal de igualdade ficou à beira do caminho, abandonado na seara das ideias. No campo da realidade, a sociedade francesa pode ter sido liberta da sufocante e perdulária monarquia absolutista, mas nunca, *jamais,* deu as mãos à fraternidade, e tampouco conseguiu conferir a sonhada igualdade aos franceses, na qual ricos e pobres se sentariam à mesma mesa e, como irmãos, dividiriam o mesmo pão ou o mesmo brioche.

A igualdade entre os indivíduos não existe nem mesmo nas sociedades que se dizem socialistas, como as de países como Cuba, China e Coreia do Norte. Na teoria socialista, todos os cidadãos deveriam ser tratados como iguais; eles seriam coparticipantes das riquezas que produzem. Na prática, porém, os cidadãos não passam de escravos do sistema, prisioneiros em seu próprio país, sem direito a voz, voto ou propriedade privada, impedidos de ir e vir, alijados do direito de usufruir o fruto do seu trabalho, sem oportunidade de ascensão social, aprisionados na base de uma hierarquia social injusta e imóvel. Nessas sociedades ditas "justas" e "igualitárias", há apenas duas classes: os cidadãos que trabalham e geram riquezas, e o Estado totalitário e antidemocrático, que monopoliza os meios de produção, explora a mão de obra e desfruta dos privilégios e do capital gerado pela massa.

O ideal de um mundo homogêneo e igualitário é ao mesmo tempo medíocre, ingênuo e injusto, pois, além de antinatural, não atende à lógica humana da recompensa, do "quem semeia colhe", e contraria o princípio da meritocracia, pelo qual o esforço é gratificado, e, quanto maior o empenho, maior deve ser a recompensa de quem o imprime. Para alcançar justiça social, há que se buscar não a igualdade social, mas a igualdade de direitos e de oportunidades, para que, como numa corrida pela vida, todos os cidadãos possam largar do mesmo ponto de partida, com condições de competitividade semelhantes. Assim, todos sairão vencedores, ainda que, pelo maior esforço ou pelas habilidades, alguns cruzem a linha de chegada mais à frente em relação aos demais.

Mesmo que alguns discordem, acredito que as desigualdades sociais não constituem a causa primordial da violência no Brasil; tampouco a pobreza é desculpa para ela. A humanidade nasceu pobre e nua, mas não necessariamente violenta. Portanto, atrelar pobreza à violência chega a ser indigno. Conferir aos pobres uma tendência quase inevitável à violência é um pensamento determinista, arrogante e preconceituoso.

Um exemplo que desmonta a falha teoria da criminalidade fruto da pobreza é o sertão do Nordeste brasileiro, região marcada pela miséria desde o período colonial. Nessa terra desolada, oprimida pelo coronelismo e castigada pelas intempéries, o povo sempre viveu no limiar da fome e da indigência, mas a miséria física nunca condenou os nordestinos à miséria moral, ao mau-caratismo ou à criminalidade — apesar de movimentos isolados como o cangaço. O sertanejo típico não se curva à violência nem mesmo para sobreviver, apesar das dificuldades sobre-humanas que tem de enfrentar. Sua índole, em geral, é boa. E isso explica por que valores como a honestidade e a honra são, até hoje, marcas do povo nordestino.

A pobreza não é a mãe de todas as misérias. A gênese da violência no Brasil pode ser encontrada na indigência da alma, na pobreza de espírito, na penúria dos valores. A violência nasce quando se perde a noção de humanidade, quando se deixa de enxergar no outro um semelhante, quando se para de agir como ser humano.

Outra prova concreta de que violência e pobreza não andam, necessariamente, de mãos dadas são os números da redução da desigualdade social no país. Segundo dados do Governo Federal,[4] durante a primeira gestão da presidente Dilma Rousseff, de junho de 2011 a fevereiro de 2013 (portanto, em um ano e meio), cerca de 22 milhões de brasileiros teriam saído da pobreza extrema (ainda que artificialmente, posto que, para sobreviver, 25% dos brasileiros dependem, quase exclusivamente, dos favores de programas assistencialistas, como o Bolsa Família e afins). O programa de redistribuição de riquezas, por meio do assistencialismo do Estado, teria feito emergir, no Brasil, a chamada "nova classe média", menos desigual e com mais poder de compra. De acordo com a ilógica lógica da esquerda brasileira, a redistribuição de renda e consequente redução da desigualdade social levaria naturalmente ao declínio da violência. Afinal, segundo esse raciocínio, quanto menos pobreza, menos crime e mais justiça e paz social.

Mas não é isso que revelam as pesquisas sobre criminalidade.

De acordo com o Mapa da Violência, divulgado a cada dois anos, em 2012 quase 113 mil pessoas morreram, no Brasil, em situações de violência, das quais, como mencionei anteriormente, 56.337 foram vítimas de assassinatos. Com relação à década anterior, os números da violência aumentaram 13,4%, o que posicionou o país como o sétimo mais violento do mundo. Segundo levantamento do Escritório sobre Drogas e Crime da ONU, onze das trinta cidades mais violentas do planeta estão no Brasil. Esses números são prova inconteste de que, apesar dos propagados avanços no campo social, a violência tem aumentado de norte a sul do país.

Em seu artigo no jornal *Folha de S. Paulo*, de 10 de janeiro de 2014, intitulado "Mortos sem *pedigree*", o colunista Reinaldo Azevedo faz uma crítica irretocável ao que chamou de "teses progressistas sobre a violência". Escreveu o jornalista:

A falácia de que a pobreza induz o crime é preconceito de classe fantasiado de generosidade humanista. A *"intelligentsia"* acha que pobre é incapaz de fazer escolhas morais sem o concurso de sua mística redentora. Diminuiu a desigualdade nos últimos anos, e a criminalidade explodiu. O crescimento econômico do Nordeste foi superior ao do Brasil, e a violência assumiu dimensões estupefacientes.[5]

Por sua vez, José Maria Nóbrega Júnior, professor da Universidade Federal de Campina Grande e Pesquisador do Núcleo de Estudos de Instituições Coercitivas e da Criminalidade (NICC) da Universidade Federal de Pernambuco (UFPE), reforça em seu *paper* intitulado "Os homicídios no Nordeste brasileiro", o paradoxo entre a diminuição das desigualdades sociais e o crescimento das taxas de criminalidade na região.

Os gastos sociais, as melhorias nas macrovariatas socioeconômicas e os investimentos em projetos sociais foram expressivos no Nordeste, não obstante a violência homicida cresce independentemente de tais investimentos/esforços e a diminuição da desigualdade e da pobreza.[6]

É fato que as desigualdades sociais não geram, necessariamente, a violência, mas, para as esquerdas míopes e aqueles incautos que se deixam levar por seu discurso fácil, são uma excelente desculpa para justificar os dados elevados da violência.

Impunidade

A violência é uma das filhas da impunidade, que por sua vez é outro sintoma da grave doença social de que padece o Brasil. Segundo dados divulgados em 2014 pelo Conselho Nacional de Justiça (CNJ), o país possui a terceira maior população carcerária do mundo, o que o põe atrás apenas da China e dos Estados Unidos.[7] De acordo com estudo do Ministério da

Justiça, o número de pessoas presas no país entre janeiro de 1992 e junho de 2013 aumentou em mais de 400%. Os desavisados enxergariam, nesses dados, um sinal de que, no Brasil, pune-se bem. Afinal, são mais de 715 mil presos em todo país. Mas, apesar de tantos detentos (parte deles cumprindo penas em regime domiciliar), no Brasil reina a impunidade.

O aparente paradoxo tem uma explicação trivial: cadeias lotadas não significam, necessariamente, punição justa ou suficiente. Que o digam os milhares de presos que já cumpriram sua pena e continuam encarcerados por ineficiência do sistema carcerário, aqueles condenados injustamente por não contar com bons advogados ou o direito a competentes defensores públicos, e os inúmeros réus e condenados foragidos que permanecem impunes por inépcia policial ou judicial.

As centenas de milhares de detentos apinhados em celas de presídios tenebrosos são apenas a ponta do *iceberg*, uma vez que grande parte dos criminosos brasileiros está do lado de fora das prisões: segundo o coordenador do Mapa da Violência 2014, Júlio Jacobo Waiselfisz, em nosso país apenas 3% a 4% dos assassinos vão, de fato, para a cadeia.[8]

Inquéritos inconclusos, casos subnotificados e crimes jamais investigados explicam, em parte, o fenômeno da impunidade no Brasil. A maior parte dos inquéritos não se torna denúncia, a maioria das denúncias não vira processo judicial, muitos processos criminais são arquivados por falta de provas, e os culpados acabam libertos por incompetência e leniência do Estado, o que fecha o ciclo vicioso da impunidade.

Pesquisa da Associação Brasileira de Criminalística, de 2011, que reuniu inquéritos de homicídio abertos até o ano de 2007, chegou à conclusão de que pelo menos 92% dos assassinatos no país permanecem sem solução.[9] Dos casos levados à Justiça, muitos aguardam a captura dos condenados ou investigados. Em 2014, o Conselho Nacional de Justiça (CNJ) divulgou um levantamento em que afirma: existem, no Brasil,

373.991 pessoas cujos mandados de prisão ainda não foram cumpridos.[10] Mas, ainda que todos os foragidos fossem capturados, não haveria meios de mantê-los encarcerados, uma vez que o déficit nos presídios já soma 357.219 vagas.[11] Se não estão presos, esses malfeitores provavelmente continuam em ação, reincidindo no crime e propagando mais violência.

Fica claro, portanto, que a impunidade não é mera sensação. É uma constatação. E a percepção de que os culpados não serão punidos gera revolta nos inocentes. Para os criminosos, a certeza da impunidade é o que os encoraja a não só perseverarem no submundo do crime, mas também a agirem com mais audácia e truculência.

Outro dado alarmante e revelador sobre a impunidade no Brasil é o número de corruptos atrás das grades. Segundo relatório do Departamento Penitenciário Nacional (Depen), do Ministério da Justiça, divulgado em dezembro de 2012, apenas 0,1% dos detentos brasileiros está preso por corrupção.[12] Isso corresponde a pouco mais de seiscentos presos em um universo de mais de quinhentos mil.

Não à toa, conquistamos a reputação de "paraíso dos corruptos". O Brasil parece oferecer sempre um final feliz para os ladrões de colarinho branco. Um dos principais exemplos desse fenômeno da história do país é o que ocorreu com os condenados no processo do Mensalão, que cito aqui em detalhes para exemplificar como funciona a máquina da impunidade em nosso país. Nesse escândalo, a cúpula do Partido dos Trabalhadores foi acusada de desviar milhões em recursos públicos para subornar parlamentares da base aliada em busca de apoio no Congresso, a saber: Partido Liberal (PL), Partido Progressista (PP), Partido do Movimento Democrático Brasileiro (PMDB) e Partido Trabalhista Brasileiro (PTB).

Após anos de protelação, a histórica ação penal 470 (o processo do Mensalão), que prometia lavar a alma dos brasileiros sedentos por justiça, terminou com condenados livres

A DOENÇA   57

da prisão graças a leis frouxas e com um herói prejudicado por praticar a justiça. Eu me refiro ao então presidente do Supremo Tribunal Federal (STF), Joaquim Barbosa, relator do processo do Mensalão, que enfrentou, com bravura, pressões políticas inimagináveis; sofreu ataques sistemáticos da imprensa e de associações de juízes e advogados, e ainda foi alvo de ameaças de morte, uma das quais partiu (pasme!) de um dos membros da Comissão de Ética do PT no Rio Grande do Norte, Sérvolo de Oliveira e Silva, que também atuava como secretário de organização do diretório petista de Natal.[13] Por defender a ética, a moral e as leis, Joaquim Barbosa, que ganhara o virtuoso apelido de "o paladino da justiça", acabou vencido pela desesperança e, logo após o fim do processo, retirou-se do STF, prematuramente.

A impunidade dos corruptos do Mensalão ocorreu de modo surreal. Após uma decisão justa e exemplar, em 17 de dezembro de 2012, tomada pela maioria da corte do STF, uma reviravolta na composição do Tribunal fez a balança da Justiça pender para o lado dos "mensaleiros". O Supremo aceitou os embargos infringentes (recurso último dos réus) e, com dois novos juízes em campo, os magistrados mudaram de ideia e rejulgaram o que já haviam julgado. Com isso, a pena de nove dos condenados foi reduzida e as condenações por formação de quadrilha acabaram extintas. A tarde daquele 27 de fevereiro de 2014 foi de lamento para os brasileiros honestos, que apostavam no bom senso dos juízes e na renovação do sistema judiciário brasileiro.

Para o ministro Barbosa, aquele foi, talvez, o dia de sua maior frustração no STF. Antes de anunciar o resultado do julgamento, o juiz desabafou, durante a sessão do dia 27 de fevereiro de 2014:

> Esta é uma tarde triste para este Supremo Tribunal Federal, porque, com argumentos pífios, foi reformada, jogada por terra, extirpada do mundo jurídico, uma decisão plenária sólida,

extremamente bem fundamentada, que foi aquela tomada por este plenário no segundo semestre de 2012. [...] Uma maioria de circunstância, formada sob medida para lançar por terra todo o trabalho primoroso levado a cabo por esta corte no segundo semestre de 2012.

Frustrado com a reviravolta no julgamento, o ministro Joaquim Barbosa foi além:

[Agora] estão suscetíveis para o enquadramento do crime de quadrilha aqueles segmentos sociais dotados de certas características sócio-antropológicas, aqueles que rotineiramente incorrem nos crimes de sangue ou patrimônio privado. Criou-se um novo determinismo social. Com o novo entendimento da Corte, fica, para a sociedade, o entendimento que criminosos influentes, brancos, abastados, bem vestidos e bem apessoados não formam quadrilha.[14]

Depois da sentença final, a caminho do cárcere, os corruptos condenados erguiam o braço com o punho no ar, como que debochando da Justiça e dos justos, insinuando a vitória da desonestidade sobre a ética. Curiosamente, jornalistas ideologicamente ligados ao PT (o maior beneficiado pelo Mensalão) chegaram a tratar os corruptos condenados como heróis injustiçados, mártires que pagaram com a cadeia por seu grande "sacrifício" de utilizar ilicitamente os recursos dos cofres da nação. Meses após o fim da ação, mensaleiros como Delúbio Soares, ex-tesoureiro do PT; "bispo" Rodrigues, ex-deputado federal pelo PL (hoje PR); Jacinto Lamas, ex-tesoureiro do PL; José Genoíno, presidente do PT à época do escândalo, e José Dirceu, o estrelado ex-ministro da Casa Civil, que chegou a ser apontado como o poderoso chefão do esquema, voltaram para casa e passaram a cumprir a pena no conforto de seu lar, cercados de familiares e amigos (ironia do destino ou castigo dos céus, José Dirceu, o petista aclamado pelos companheiros como "guerreiro do povo brasileiro", não chegou a gozar muito tempo da prisão domiciliar. Em agosto de 2015, o ex-ministro petista voltou à cadeia, desta vez acusado de chefiar o Petrolão, esquema de corrupção que desviou pelo menos 6 bilhões de reais dos cofres da Petrobras).

Apesar de condenados pela Suprema Corte, os "companheiros mensaleiros" foram poupados das penas pecuniárias, que, assim como a reclusão, deveriam ter um cunho pedagógico para os apenados. Graças à solidariedade de militantes e simpatizantes, os condenados do Mensalão não tiveram de arcar com nenhum prejuízo financeiro, ou seja, nem um centavo saiu do bolso deles para ressarcir os cofres públicos. O PT, por meio de seu presidente, Rui Falcão, mobilizou a militância a se cotizar para pagar as multas que a Justiça impôs aos criminosos. José Genoíno foi o primeiro beneficiado. A "vaquinha" em favor do ex-presidente do partido chegou a amealhar mais de 700 mil reais. Já a corrente da solidariedade em favor de Delúbio Soares foi um pouco mais generosa e conseguiu arrecadar o incrível montante de 1 milhão de reais em doações.

Aliás, em matéria de corporativismo, o PT é imbatível. Em janeiro de 2015, o mensaleiro José Genoíno foi presenteado com o indulto de Natal, ou seja, o perdão da pena. O decreto, assinado pela presidente petista Dilma Rousseff em dezembro, acabou beneficiando o companheiro condenado, que cumpria pena em regime semiaberto. Calhou de Genoíno preencher todos os requisitos para ser beneficiado pelo indulto, no que se refere a comportamento e tempo de encarceramento, muito embora sua passagem pela penitenciária da Papuda tenha sido meteórica. A bem da verdade, o condenado estrelado passou mais tempo em casa e no hospital que dentro do presídio. Com o perdão da pena chancelado pela Suprema Corte, Genoíno, o mensaleiro que tentou se passar por herói injustiçado, perseguido político e mártir da nação, poderá voltar à vida política em apenas oito anos, como se nada tivesse acontecido, como se nem um tostão tivesse sido surrupiado dos cofres públicos para favorecer o governo do seu partido. Genoíno deu sua "cota de sacrifício" pelo PT. Pegou uma pena de faz de conta e acabou como cidadão livre, sem nada a dever à sociedade, restando, talvez, o peso de sua própria consciência.

No fim das contas, depois de tantas idas e vindas, dos longos apartes e pedidos de vista, dos intermináveis recursos e apelações, dos derradeiros embargos infringentes e mesmo após tantos protestos de brasileiros íntegros, inconformados com a corrupção, nenhum político envolvido no escândalo do Mensalão foi condenado ao regime fechado. Aos olhos do povo honesto do Brasil, o desfecho do caso equivale à impunidade.

Geralmente, em favor da impunidade dos corruptos estão o prestígio, que garante o *lobby* positivo da imprensa; a defesa extrajudicial e extraoficial de juristas renomados; e também o dinheiro da corrupção, que banca os melhores advogados da praça, os causídicos mais brilhantes e mais determinados, e as maiores chances de protelar, extinguir e até ganhar uma ação judicial. Com tudo isso a favor, o corrupto, via de regra, sai ileso do crime de corrupção. Não é de estranhar que muitos acabem correndo o risco de trilhar o caminho da ilegalidade, pois o custo-benefício entre o ato de corrupção e a chance de ser flagrado, processado e condenado faz que o crime, lamentavelmente, compense.

A impunidade, que desdenha dos justos, humilha as vítimas e alimenta o crime, é o maior combustível da violência. Norma Toschi Elias perdeu o filho para a violência das torcidas de futebol. Paulo Sérgio Costabili, um corintiano de 31 anos, foi assassinado com um tiro de revólver por um torcedor palmeirense depois da final do Campeonato Brasileiro. O crime aconteceu em 1994, mas até agora o assassino, Wanderley Ricardo Lopes, sentenciado a doze anos de prisão, permanece sem punição, apelando da condenação em liberdade e usando do seu direito de driblar a Justiça até o último recurso. O lamento de Norma resume a questão: "A impunidade mata mais que o revólver, mata mais que a faca, mata mais que o soco. A impunidade mata mais que qualquer outra coisa", disse ela.

A impunidade é, sem dúvida, o maior convite à criminalidade. Ambos os fenômenos guardam, entre si, uma relação intrínseca, direta e condicional. Quanto maior a certeza de que não haverá punição, maior será a audácia do criminoso e mais encorajado ele será a ingressar e permanecer no mundo do crime. Certo do êxito de sua empreitada criminosa e da ineficiência dos mecanismos de coerção (polícias), acusação (Ministério Público) e punição (poder judiciário), o criminoso enverada, racionalmente, pela porta mais larga e percorre o caminho mais curto e mais fácil, ainda que ilegal, até alcançar aquilo que deseja: riqueza, vingança, prazer, poder.

Legislação falha

Outro fator que retroalimenta a violência e também a impunidade é o sistema penal brasileiro. Nosso conjunto de leis penais não é tão criticado à toa. Há um movimento crescente na sociedade que clama por uma reforma profunda no Código Penal e na Lei das Execuções, para que se possam criar leis que punam novas modalidades de crime, agravar as penas já existentes para crimes bárbaros e para que os apenados cumpram a condenação inteiramente e sem privilégios excessivos e imerecidos.

A legislação penal, que deveria ser implacável com os criminosos e, assim, assegurar às vítimas um mínimo sentimento de justiça, é leniente e permissiva: demasiadamente injusta com as vítimas e protecionista ao extremo para os bandidos. Além de um sistema de segurança pública desconectado, com polícias mal pagas, mal treinadas e mal aparelhadas, há no sistema jurídico brasileiro a tendência à perpetuação da impunidade e a mentalidade paternalista em favor do réu. Um exemplo disso é o princípio jurídico *in dubio pro reo*, expressão latina que pode ser traduzida como "na dúvida, se favorece o réu", ou seja, é a presunção de inocência, segundo a qual ninguém é culpado até que se prove a culpa.

Trata-se de um princípio justo, por natureza, pois protege cidadãos inocentes de condenação arbitrária, sem provas. Ocorre que, no Brasil, *o in dubio pro reo* tem ajudado a fortalecer a impunidade, pois vem sendo aplicado sem critérios justos e sem limites, apesar das fortes evidências do crime e da periculosidade do réu. O benefício é estendido até o último recurso na Justiça, quando é analisado pela Corte mais alta. Ele vale até que, da sentença final, tenha decorrido o prazo derradeiro para recurso (trânsito em julgado).

No Brasil da impunidade, a presunção da inocência prevalece — pasme! — ainda que o acusado tenha sido julgado e condenado em primeira instância, por decisão monocrática do juiz de direito, e em segunda instância, em decisão colegiada (ou seja, tomada por maioria de votos dos magistrados de um tribunal). No Brasil das injustiças, a presunção de inocência é mantida ainda que o réu possua antecedentes criminais, tenha sido flagrado em delito ou confessado sua culpa.

Um dos casos emblemáticos dessa paradoxal garantia jurídica é o do jornalista Pimenta Neves, que confessou ter assassinado a namorada Sandra Gomide, em agosto de 2000. Seus advogados invocaram a presunção de inocência para que o réu continuasse livre enquanto se defendia perante a Justiça, até que o último dos "infindáveis" recursos tivesse se esgotado, o que só ocorreu onze anos depois do crime. Cabe a pergunta: que presunção de inocência teria o réu que confessou sua culpa perante um juiz?

Foi o próprio Supremo Tribunal Federal (STF), a corte máxima de Justiça no Brasil, que, em fevereiro de 2009, analisando um *habeas corpus* (pedido de liberdade provisória) proposto por Omar Coelho Vitor, condenado a sete anos e seis meses de prisão por tentativa de homicídio qualificado, estabeleceu o entendimento de que a prisão de um réu antes do julgamento do último recurso é inconstitucional. Contrários à tese da presunção de inocência até o trânsito em julgado, os ministros do STF Carlos Alberto Menezes Direito e Ellen Gracie ainda alegaram que a Convenção Americana de Direitos Humanos, pacto do qual o Brasil é signatário, não assegura direito irrestrito de recorrer em liberdade, muito menos até a quarta instância, como ocorre no Brasil. No entanto, após acalorada discussão, a maioria dos ministros acordou que a prisão de um condenado em primeira ou segunda instância viola o princípio da presunção de inocência. Segundo eles, o réu condenado tem o direito de responder ao processo em liberdade enquanto houver possibilidade de recurso e desde que não haja motivo para a prisão cautelar. Ao fim da sessão, o ministro Joaquim Barbosa, que votou contra a concessão do *habeas corpus*, desabafou: "Estamos criando um sistema penal de faz de conta. Se tivermos de esperar os deslocamentos de recursos, o processo jamais chegará ao fim. Não conheço nenhum país que ofereça aos réus tantos meios de recursos quanto o nosso".[15]

O excesso de recursos em favor dos réus fortalece muito a impunidade. Um caso cujo desfecho acompanhei, pessoalmente, no Tribunal do Júri de João Pessoa, foi o julgamento de um dos réus acusados do assassinato da líder sindical paraibana Margarida Maria Alves. Após denunciar abusos contra trabalhadores nas usinas de açúcar da região do brejo paraibano, Margarida foi morta com um tiro de escopeta na porta de casa, na frente do filho e do marido, em 12 de agosto de 1983. Apenas em 1995, após o assassinato de dois dos réus acusados de executar o crime (numa aparente ação de "queima de arquivo") e, portanto, doze anos depois da morte de Margarida, é que o Ministério Público denunciou os possíveis mandantes:

os fazendeiros Aguinaldo Veloso Borges, Zito Buarque, Betâneo Carneiro e Edgar Paes de Araújo. No entanto, somente Zito Buarque foi levado a julgamento e inocentado, em 18 de junho de 2001. Já Betâneo Carneiro foi "premiado" com a prescrição da pena, benefício alcançado graças à ineficiência do sistema jurídico e às distorções legais que permitem a interposição de recursos meramente protelatórios, cujo objetivo não é provar a inocência do réu, mas apenas conseguir a prescrição do processo e a extinção de uma possível pena.

Para o ex-ministro do Supremo Tribunal Federal Carlos Ayres Britto, "nada estimula mais a criminalidade do que a certeza antecipada da impunidade, por absolvição ou prescrição do crime".[16] O desabafo do magistrado aconteceu após o assassinato brutal do menino João Hélio, de 6 anos, no Rio de Janeiro, perpetrado por um bando de quatro criminosos, entre eles um menor de idade. Falarei sobre esse terrível caso adiante, quando tratar da questão da redução da maioridade penal. A ampla defesa, sem limites e sem critérios, acaba se tornando um caminho fácil para a injustiça. Em entrevista coletiva a correspondentes estrangeiros, em fevereiro de 2013, o então presidente do STF, Joaquim Barbosa, criticou duramente o sistema penal brasileiro e o qualificou de "frouxo". "É um sistema totalmente pró-réu, pró-criminalidade. Não há sistema penal em países com o mesmo nível de desenvolvimento do Brasil tão frouxo, que opere tanto pró-impunidade".[17] Por sua sinceridade, o ministro foi crucificado pela mídia e, principalmente, pelas associações de magistrados, que se sentiram ofendidos com as contundentes afirmações de Barbosa.

No Brasil, o castigo imposto ao criminoso não é proporcional à gravidade dos crimes cometidos. Para certos críticos, falta rigor legal; para outros, faltam leis. Mas o Brasil é um insaciável criador de leis. Um estudo divulgado em 2013 pelo Instituto Brasileiro de Planejamento Tributário (IBPT) revelou que, nos 25 anos anteriores, foram editadas 4,7 milhões de normas no país, entre emendas à Constituição, leis ordinárias, leis complementares, medidas provisórias e decretos federais. Esse dado corresponde a uma média de 784 normas por dia útil.[18] É como se as leis tivessem virado a solução mágica para todo e qualquer problema do país: da poluição dos mananciais à violência nas ruas das cidades.

Porém, o que vemos é um excesso de legislação e pouco cumprimento da justiça. De nada adianta criar normas se não são praticadas. No emaranhado de leis mais numerosas a cada dia, de regulamentos e decretos, há um amontoado de normas irrelevantes e improdutivas, como as que criam datas comemorativas, nomeiam vias públicas e conferem títulos de cidadania, num completo desperdício de tempo e de esforço legislativo.

Se a falta de leis bem elaboradas prejudica o Judiciário brasileiro, o excesso de normas acaba emperrando a prestação judicial. Desconexas, imprecisas, excêntricas e redundantes, algumas leis jamais terão efetividade, ou seja, nunca sairão do papel. Outras serão discutidas e rediscutidas, num infindável debate jurídico que gera um sem-número de interpretações distorcidas, brechas convenientes para a procrastinação e a impunidade, e decisões judiciais totalmente paradoxais para casos praticamente idênticos.

Além de mal elaboradas, as leis também são mal aplicadas. Em muitos casos, as punições são verdadeiro engodo. Há um evidente e escandaloso excesso de protecionismo ao apenado, como a prisão especial, a primariedade do réu, a prisão domiciliar, o indulto... Graças a artifícios como o bom comportamento na cadeia e o "trabalho" no ambiente prisional, as penas podem ser progressivamente diminuídas. E anos de cadeia se revertem em uma curta temporada de meses no cárcere. Assim, o sistema transforma penas reais em castigos virtuais, abrandados piedosamente pela Lei de Execuções Penais. Não é à toa o sentimento de impunidade da sociedade, apesar das punições da Justiça.

Frequentemente, condenados a crimes de trânsito têm a detenção transmutada em prestação de serviços à comunidade ou pagamento de cestas básicas. Foi o que acabou acontecendo ao cantor Ivair dos Reis Gonçalves, o Renner, da dupla sertaneja Rick e Renner, condenado por homicídio culposo, ou seja, quando não há intenção de matar. Em agosto de 2001, o cantor dirigia sua BMW a quase 160 quilômetros por hora, segundo a acusação, numa estrada no interior de São Paulo. Foi quando perdeu o controle, atravessou a pista contrária e colidiu com uma moto, onde estava o casal Luís Antônio Nunes Aceto e Eveline Soares Rossi. O impacto foi tão violento que os dois morreram na hora. Condenado a três anos e seis meses de prisão, a Justiça acabou convertendo a pena em pagamento de multa e prestação de serviços.

Selma de Assis Pereira Oliveira, mãe de outra vítima de imprudência no trânsito, Aroldo Pereira, atropelado e morto em agosto de 2014 pelo motorista de um Mustang, desabafou: "A vida do meu filho não é uma cesta básica".[19] Diante de tantos crimes sem castigo, Selma já antevê a impunidade que virá ao encontro do assassino de seu filho.

Educação

A área da educação é outro ponto fraco do Brasil. Essa fragilidade é, possivelmente, a maior responsável por outros problemas sociais, como a miséria, o assistencialismo e o atraso econômico. De acordo com o relatório Panorama da Educação, de 2014, da Organização para a Cooperação e Desenvolvimento Econômico (OCDE), que reúne mais de trinta nações, o Brasil é um dos países que menos investe em educação. Entre 35 nações pesquisadas, ficamos na 34ª colocação, à frente apenas da Indonésia. Enquanto o primeiro colocado, a Suíça, investe anualmente mais de 16 mil dólares por aluno, no Brasil o gasto anual com um estudante é de pouco mais de 2,5 mil dólares.[20]

A DOENÇA 67

Com relação à remuneração dos professores, o quadro é ainda mais avassalador. Se levarmos em conta o salário inicial dos docentes do ensino médio, o Brasil está em último lugar na lista. Nosso país investe, anualmente, 10.375 dólares por professor, muito abaixo da média dos demais países pesquisados, de 32.255 dólares. Enquanto isso, segundo dados do Conselho Nacional dos Secretários de Estado da Justiça, Cidadania, Direitos Humanos e Administração Penitenciária (Consej), o Brasil gasta, mensalmente, em um presídio federal, mais de 7 mil reais por preso.[21] É como se o detento tivesse mais importância para o país do que o estudante.

Ao tomar posse, no segundo mandato como presidente do Brasil, a petista Dilma Rousseff anunciou seu novo lema para o país: "Brasil, Pátria Educadora". Ironicamente, uma semana após a cerimônia, o governo anunciou cortes de verbas em todos os ministérios, e a pasta da Educação foi a mais sacrificada, com uma redução inicial de bilhões de reais em investimentos.

É uma realidade dura, mas fato é que o Brasil tem incríveis 13,9 milhões de adultos analfabetos, ou seja, 6,95% da população, a maior parte da qual se concentra nas regiões Norte e Nordeste. Somos o oitavo país do mundo no *ranking* do analfabetismo, segundo o 11º Relatório de Monitoramento Global de Educação para Todos, divulgado em janeiro de 2014 pela Unesco.[22] Mas há, também, os analfabetos funcionais, isto é, pessoas maiores de 15 anos, que tiveram acesso à escola, são capazes de ler corretamente um texto, mas não compreendem seu significado; conhecem os números, mas não têm habilidade para solucionar operações matemáticas simples. No Brasil, essa categoria de analfabetos soma 17,8% dos brasileiros, de acordo com dados da Pesquisa Nacional por Amostra de Domicílios (PNAD) divulgada em setembro de 2014 pelo Instituto Brasileiro de Geografia e Estatística (IBGE).[23] Ainda segundo a PNAD, é na região Nordeste onde mais se concentram os analfabetos funcionais: 27,2%, seguida pela região Norte, com 21,6%, e Centro-Oeste, com 16,4%. Na região Sul, eles somam 13,6% e, na Sudeste, 12,9%.

A educação em nosso país é motivo de vergonha. Os estudantes brasileiros passaram vexame na avaliação do Programa Internacional de Avaliação de Alunos, divulgada em abril de 2014, que analisou pela primeira vez a capacidade de estudantes de 15 anos de resolver problemas de matemática aplicados à vida real. Em um total de 44 países pesquisados, o Brasil ocupou a 38ª colocação. O teste mostrou, por exemplo, que apenas 2% dos estudantes brasileiros conseguiram resolver problemas complexos de matemática, enquanto, em outros países, a média é de 11%. A análise do Programa, divulgada em dezembro de 2013, revelou que, em matéria de leitura, o Brasil está no 55º lugar entre 65 países pesquisados. Nossos alunos se saíram ainda pior em ciências, alcançando apenas a 59ª colocação no *ranking*.[24]

E não fomos reprovados apenas em testes internacionais. O Brasil tirou nota vermelha, também, no Índice de Desenvolvimento da Educação Básica (IDEB),[25] que leva em conta as taxas de aprovação, reprovação e abandono, além do desempenho de alunos na Prova Brasil. Nos últimos anos do ensino fundamental (6º ao 9º anos), os alunos alcançaram média 4,2, abaixo da medíocre média de 4,4 pontos esperada pelo Governo Federal. Levando-se em conta o ensino médio, não houve evolução: a média também ficou abaixo da meta: 3,7 pontos, o mesmo índice registrado em 2011.

Os alunos do ensino particular também tiveram queda no desempenho. O IDEB da rede privada para o ensino médio caiu de 5,6 pontos, em 2005, para 5,4 pontos, em 2013. Ou seja, em oito anos houve involução. Num intervalo de três anos, o índice também caiu no último ciclo do ensino fundamental: de 6,0, em 2011, a média recuou para 5,9 pontos.

Em relação ao ensino superior, a situação também não é das melhores. No *ranking* internacional Times Higher Education,[26] um dos mais respeitáveis do mundo, o Brasil não emplacou nenhuma universidade entre as cem melhores do mundo, em 2014, pelo quarto ano consecutivo. A Universidade de São Paulo (USP) caiu mais de vinte posições em relação a 2013, ficando entre a 201ª e a 225ª colocadas. As primeiras universidades na listagem foram americanas e britânicas, como Harvard, Oxford, Stanford, Cambridge e Yale, que apostam no ensino de qualidade, investem pesado em pesquisa, premiam o mérito e estimulam o aluno a se superar.

Seja na rede púbica, seja na privada, a educação no Brasil, invariavelmente, tem deixado a desejar. Para justificar os números constantemente desfavoráveis, há sempre uma desculpa pronta, cuidadosamente elaborada por políticos e burocratas. E, para maquiar a situação caótica do ensino no Brasil, não faltam planos mirabolantes e ideias fantasiosas. É o caso da aprovação automática, uma distorção lamentável da realidade, cujo único objetivo é esconder as falhas do sistema educacional. A semente desse ideal de aprovação foi plantada na gestão da então prefeita de São Paulo, Luiza Erundina. O experimento dela tinha como desculpa combater a repetência e a evasão escolar. Assim, teve início, no ensino público, o sepultamento da meritocracia, conceito segundo o qual o aluno seria aprovado por seu esforço ou reprovado por seu fraco desempenho.

Os maus gestores encontraram, na repetência escolar, a justificativa para o despreparo dos educadores e a incompetência dos administradores. É mais fácil acreditar que é a repetência, e não a má qualidade das escolas e do ensino, a grande vilã da educação. Mas repetência não é causa. É consequência. Se a reprovação pode desestimular o aluno a prosseguir nos estudos, é preciso buscar outras alternativas para mantê-lo motivado em sala de aula. Afinal, em toda caminhada há tropeços. E para toda falha, omissão ou falta de dedicação é necessária uma consequência. Mais grave que a reprovação justa é a aprovação artificial de alunos despreparados. O futuro da aprovação automática é a exclusão social. O mercado de trabalho certamente rejeitará aqueles que deixarem as salas de aula sem a devida qualificação. Preteridos pelo mercado, sobrará aos piores alunos, das piores escolas, os subempregos, o desemprego, o assistencialismo ou o caminho da criminalidade.

Outra falsa solução para o problema crônico da educação no Brasil é a reserva de cotas em universidades públicas. Com a desculpa de resolver o problema da exclusão social, esse sistema permite que alunos despreparados egressos do ensino fundamental e médio entrem pela porta da frente do ensino superior, com o empurrãozinho de um governo que ignora o mérito e nivela todos os estudantes pela régua do "coitadismo". Para um gestor descomprometido com educação, é mais fácil reservar cotas para os menos capazes do que melhorar a educação pública para todos os brasileiros, indistinta e independentemente de classe social, sexo ou etnia.

Aliás, as cotas raciais no Brasil são absolutamente controversas. Os defensores desse sistema alegam que o país tem uma dívida histórica com os descendentes de escravos africanos, que durante séculos permaneceram à margem da sociedade, destituídos de educação de qualidade e, portanto, sem grandes chances de ascensão social. Na ótica dos pró-cotas, a reserva de vagas para negros nas universidades públicas seria uma forma de compensar essa parcela da sociedade das injustiças sofridas do passado. Esquecem-se, porém, que o povo brasileiro é eminentemente mestiço, fruto da mistura entre negros, índios, portugueses e outros povos que aqui chegaram, ficaram ou passaram. Sob uma análise cuidadosa, vemos que grande parte dos brasileiros tem sangue negro, ainda que sua aparência não o denote. Podemos tomar como exemplo o caso dos gêmeos idênticos Alex e Alan Teixeira da Cunha, de Brasília. Filhos de mãe branca e pai negro, eles se inscreveram no sistema de cotas raciais da Universidade de Brasília (UnB), mas apenas um deles foi considerado negro pela banca examinadora. Para Alan, que é contra a política de cotas para ingresso nas universidades, a reprovação do irmão é uma prova de que o método é falho e injusto.

Para o governo, o sistema de cotas é uma compensação aos negros pela escravidão e pela histórica marginalização. O discurso populista, no entanto, não convence. A reserva de cotas acaba se mostrando uma atitude demagógica, com fins eleitoreiros. O sistema não repara injustiças, porque não passa de pano de fundo para tentar encobrir as falhas do ensino público brasileiro, sem saná-las. Afinal, um estudante que entra despreparado numa universidade, onde a maioria ingressou à custa de muito esforço e por capacidade, gera um desnível acadêmico. Dificilmente os alunos medianos, que não conseguiriam passar no vestibular comum a todos, acompanharão o ritmo e o conteúdo didático da graduação, pois a base do conhecimento não foi estabelecida no ensino fundamental e médio. Seria necessário um esforço extraordinário dos cotistas para não ficarem para trás. Caso concluam o curso e obtenham o diploma, tudo indica que continuarão aquém dos outros formandos, em termos de capacitação e preparo. Faltará a esses alunos o mérito para encarar o mercado de trabalho, onde não há cotas para os "menos favorecidos" e onde só os melhores sobrevivem. No mundo real, é preciso merecer para conquistar.

Graça a distorções como o ensino de faz de conta, a evasão escolar, a aprovação automática e as cotas para "minorias", falta mão de obra capacitada em todos os setores da economia, no Brasil. Não preparamos as salas de aula para o aprendizado, os professores para o ensino, os alunos para a superação, o Brasil para o futuro. Nossa educação é para inglês ver.

Por isso, temos milhões de analfabetos funcionais e trabalhadores que mal sabem ler e escrever ou resolver uma simples operação matemática. São incapazes de redigir um formulário ou desvendar um simples manual de instrução. A esses brasileiros, sem educação e sem qualificação, restarão sempre os subempregos, os salários indignos, o futuro atrofiado, a vida sem grandes expectativas. E, assim, o ciclo da miséria e da ignorância se retroalimenta indefinidamente.

Educação é o futuro do Brasil. Todo político sabe essa máxima de cor e a repete, como um mantra, nos púlpitos, nos palanques e nas propagandas. Mas, na prática, quase nenhum — legislador ou administrador — leva o ensino a sério. O desempenho medíocre dos alunos reflete a omissão de quem deveria pensar e gerir a educação.

Na maioria das escolas, longe dos grandes centros, falta o básico: mesas e cadeiras, livros e cadernos, lápis e borracha. Para melhorar a educação, sobram fórmulas mágicas, e palpites surgem em profusão: mais investimentos, mais tempo na escola, maiores salários para os professores... No entanto, falta algo muito essencial: um plano nacional que norteie todos os envolvidos nesse processo: diretores, professores, pais e estudantes. Que metodologia usar? Que conteúdos privilegiar? Como atingir metas? Como estimular o aluno a se superar? E que estímulos recebem os melhores professores, aqueles que se esforçam apesar das dificuldades extremas e conseguem extrair dos estudantes o seu melhor? Onde está a meritocracia? Pois o sistema, hoje, não premia os professores mais capacitados, os diretores mais eficientes, as melhores escolas, os estudantes mais bem-sucedidos.

Diz um texto, cuja autoria desconheço, que certo professor de economia de uma universidade americana resolveu fazer um experimento com alunos. Os jovens insistiam na ideia de que um governo socialista resolveria todos os problemas sociais, como a pobreza e as desigualdades, por meio do assistencialismo e da divisão igualitária das riquezas. O professor propôs, então, deixar de lado a avaliação meritória e decidiu que as notas de todos os alunos seriam absolutamente iguais, resultado de uma média de todas as notas obtidas por cada estudante. Na primeira prova, todos receberam nota B. Quem não estudou ficou satisfeito, pois, apesar de não ter se esforçado, recebeu uma nota razoável. Mas, quem se dedicou sentiu-se injustiçado por ter alcançado uma nota proporcionalmente inferior ao seu esforço. Na segunda prova, os alunos preguiçosos estudaram menos ainda, pois sabiam que os mais inteligentes e dedicados fariam todo o trabalho duro e garantiriam uma boa nota para todos. Os esforçados, sem estímulo para estudar, uma vez que sentiam levar a turma "nas costas", decidiram também fazer corpo mole e não se dedicaram o suficiente. O resultado do segundo exame foi inferior ao do primeiro: todos tiraram a mesma nota: D. Decepção geral. Da terceira prova em diante, a média não passou de um medíocre F. Ao final, os melhores alunos não queriam mais estudar ou se esforçar em prol do resto da turma e todos foram igualmente reprovados. O professor, então, saiu-se com a preciosa lição: "O experimento socialista falhou porque, quando o governo nivela os esforçados e os medíocres, elimina todas as recompensas e o senso de justiça".

Assim como a educação, é impossível multiplicar a riqueza por meio da dependência, pois, quando metade da população entende que não precisa trabalhar — uma vez que a outra metade vai sustentá-la —, a parte que se esforça chegará à conclusão de que não vale mais a pena se empenhar para sustentar os demais. Assim, nenhuma riqueza se cria, nenhum conhecimento evolui e toda a nação acaba perdendo.

Maioridade penal
O menor de 18 anos é capaz de realizar muitos atos de forma consciente e possui discernimento para muitos tipos de

escolha, o que lhe confere responsabilidade legal em ques tões civis. De acordo com a lei, o menor de 14 anos pode ter relações sexuais (no Brasil, a idade de consentimento para o sexo, em geral, é de 14 anos, conforme o novo artigo 217-A do Código Penal). Menores de 16 anos podem se casar, mediante autorização judicial, e ter filhos, sem necessidade de algum tipo de autorização. Dos 14 aos 16 anos, menores podem trabalhar como aprendizes, desde que não seja em condições perigosas ou insalubres.

A legislação brasileira entende que o menor de 18 anos tem discernimento e maturidade suficientes até mesmo para votar e escolher seus representantes políticos. Eles têm capacidade, inclusive, de eleger o presidente da República, indivíduo que conduz os rumos de uma nação. E ainda, de acordo com o artigo 5º do Código Civil, jovens com mais de 16 anos podem se emancipar, com anuência dos pais ou autorização de um juiz, e, assim, praticar quaisquer atos da vida civil, como fechar negócios, assinar contratos de locação, gerir o próprio empreendimento ou viajar sozinho. Enfim, o menor pode agir e ser tratado como adulto, com todas as implicações e responsabilidades.

No entanto, a lógica do discernimento se inverte quando, em vez de atos civis, o que está na mesa são as práticas criminosas cometidas por menores de idade. No âmbito penal, menores de 18 anos são considerados incapazes de responder como criminosos, inimputáveis, pessoas ainda em formação, sem capacidade de discernir entre o certo e o errado, a lei e o crime, o bem e o mal. De acordo com o benevolente e ultrapassado Estatuto da Criança e do Adolescente (ECA), o menor que comete crime não pode ser identificado pelo nome, nem pela alcunha, sequer pela imagem. O processo a que responde tramita em segredo de Justiça, o que quer dizer que só indivíduos habilitados aos autos, como defensores públicos, advogados e juízes, podem ter acesso ao seu conteúdo.

O menor de idade que comete um delito também não pode ser chamado de "criminoso", ainda que condenado. O ECA usa uma nomenclatura mais complacente: "Menor infrator" ou "reeducando", na prática um eufemismo para amenizar a culpa dos adolescentes criminosos. Segundo o Estatuto, casos de internação só se aplicam excepcionalmente, quando o ato infracional é cometido mediante grave ameaça ou violência à pessoa, em situações de reincidência de infrações graves, ou ainda quando o menor infrator descumpre medida imposta anteriormente. Ou seja, em casos de menos gravidade, o adolescente sequer cumpre medida de internação.

Para o legislador, só o fato de o "infrator" ser menor de 18 anos já atenua a crueldade do crime, não importa qual tenha sido: estupro, latrocínio, homicídio triplamente qualificado ou o mais hediondo dos atos. E o menor infrator não cumprirá pena, mas tão somente uma medida socioeducativa, que em teoria objetiva reabilitá-lo para viver em sociedade. Após cumprir sua medida e ganhar a liberdade, em pouquíssimo tempo (o máximo de tempo que um menor infrator pode permanecer recluso são três anos), ele terá a ficha limpa. É como se a vida pregressa de crimes jamais tivesse existido, como se o infrator nunca tivesse cometido nenhum deslize. E, caso volte a praticar crimes, responderá como réu primário, com todas as benesses que a lei concede nessas situações.

A ideia de que os menores de 18 anos não merecem punição por seus crimes devido à imaturidade não nasceu no Estatuto da Criança e do Adolescente, nos anos 1990. Trata-se de um conceito bem mais antigo. Referindo-se aos menores infratores, o jurista Alyrio Cavallieri afirmou em seu livro *Falhas do Estatuto da Criança e do Adolescente*:

> Toda esta dúvida tem sua origem na Exposição de Motivos do Código Penal de 1940, quando o Ministro Francisco Campos

escreveu que os menores ficavam fora daquela lei, porque eram imaturos [...]. Segundo ele, todos os menores de 18 anos no Brasil eram imaturos. Absurdo completo. E nós contaminamos toda a nação com esta insólita concepção. [...] Os estatutistas merecem todos os encômios pela elevação à Lei Magna de uma aspiração comum, mas poderiam ter aproveitado para destruir um mito prejudicial. Eles [sic] sabem o que fazem, mas não vão para a cadeia, pois temos solução melhor para seus crimes.[27]

No entanto, os defensores da manutenção da maioridade penal aos 18 anos insistem que punir menores de idade não resolveria o problema da delinquência juvenil, uma vez que o sistema penal não teria condições de absorver mais criminosos. Isso, alegam eles, impediria a ressocialização do preso, como se ela de fato existisse nas instituições socioeducativas e nos presídios comuns do Brasil. Para os "estatutistas", menores infratores não merecem castigo por seus crimes, mas quantas chances forem necessárias para a ressocialização. Ou seja, o Estatuto não leva em consideração os direitos das vítimas e de seus familiares de obter justiça, apenas o interesse exclusivo e primordial do "menor".

Se há crime, mas não há castigo, não há punição. Pelo contrário, há impunidade. E a impunidade é o maior incentivo ao crime e à reincidência. Volto à famosa frase do ex-ministro do Supremo Tribunal Federal Carlos Ayres Britto: "Nada estimula mais a criminalidade do que a certeza antecipada da impunidade, por absolvição ou prescrição do crime".

Menores sabem que são inimputáveis. Conhecem seus direitos no ECA mais que muitos juristas. Como sustentar que não conseguem atentar para as consequências de seus delitos? Como dizer que não sabem o que fazem? Por que alegar que merecem impunidade por não ter maturidade suficiente? O contexto em que Ayres Britto menciona a impunidade consiste nas discussões sobre o caso do menino João Hélio, morto aos 6 anos, na noite do dia 7 de fevereiro de 2007, no Rio de Janeiro. Durante um assalto, cinco criminosos, entre eles um menor de idade (à época, identificado apenas como E.), renderam a mãe de João em um sinal de trânsito para roubar o carro. Todos os ocupantes conseguiram sair do veículo, exceto João, que ficou preso pelo cinto de segurança do lado de fora do automóvel. A mãe tentou livrar o filho, mas foi impedida pelos bandidos, que partiram em disparada, arrastando a criança pelo asfalto por sete quilômetros e intermináveis dez minutos, por diversas ruas de quatro bairros da região. Desesperada, a mãe de João Hélio, a dona de casa Rosa Vieites, tentou correr atrás do automóvel, em vão. Pelo caminho que os criminosos percorreram em zigue-zague, ficaram marcas de sangue do menino e restos de massa encefálica. Os bandidos abandonaram o carro e, quando a polícia chegou, nem o delegado teve coragem de olhar o que havia restado do corpo de João Hélio, despedaçado e sem os dedos das mãos, os joelhos e a cabeça.

Os assassinos de João Hélio foram presos um dia após o brutal assassinato. Ironicamente, em vez de se indignar contra o crime abominável praticado pelo menor e sua quadrilha, parte da imprensa se escandalizou quando a polícia obrigou os bandidos a mostrarem o rosto. Não foram poucos os colegas jornalistas que defenderam o direito à privacidade dos marginais, ignorando o direito à informação, de que goza a sociedade, de saber quem são os lobos dessa história macabra. Quanto ao julgamento desses criminosos, os quatro maiores de idade foram condenados por latrocínio (roubo seguido de morte). Carlos Eduardo Toledo Lima pegou 45 anos de prisão; Diego Nascimento da Silva, 44 anos e três meses; Thiago Abreu Matos, 39 anos de prisão, e Carlos Roberto da Silva, 39 anos.

O menor E. — na verdade, Ezequiel Toledo de Lima —, o mesmo que fechou a porta do carro e deixou o menino João Hélio pendurado pelo cinto do lado de fora do veículo, cumpriu três anos de medida socioeducativa e ganhou liberdade, aos 19 anos. Merece destaque o fato de que, nem a condescendência do ECA, nem o tempo de ressocialização, tampouco a própria consciência, o convenceram a abandonar a vida de crimes. Em março de 2012, ele foi preso, acusado de assaltos, tráfico de drogas e tentativa de suborno a policiais.

Foram menores também os protagonistas do assassinato brutal do médico Jaime Gold, em maio de 2015, esfaqueado, sem oportunidade de defesa, por três adolescentes, enquanto pedalava na Lagoa Rodrigo de Freitas, um dos cartões postais do Rio de Janeiro. Os suspeitos do assassinato já eram conhecidos da polícia e da Justiça do Rio. Um deles, o filho da catadora Jane Maria da Silva, cumpria medida socioeducativa por outro crime e estava foragido, porém acobertado pela mãe. Além de bicicletas de marca, o menor infrator roubava, sempre armado de faca ou tesoura, cordões de ouro e celulares.

Para a mãe, o filho não passa de mais uma "vítima da sociedade". Repetindo o mantra da vitimização dos bandidos de baixa renda, dona Jane garante: "O jovem de bolso vazio vai roubar" e "precisa de mesada para ficar entretido".[28] Como para tantos outros defensores de bandidos, para dona Jane a pobreza justifica o crime e até o absolve. Em sua lógica enviesada, ela acaba arrastando todos os jovens pobres do país para a vala comum do mau-caratismo. Em 30 de junho de 2015, dois dos três acusados de esfaquear e matar o médico Jaime Gold foram considerados culpados, mas, para alívio dos "militantes de direitos humanos", os assassinos só deverão cumprir medida socioeducativa de, no máximo, três anos, sob as bênçãos do "Estatuto da impunidade".

Em artigo publicado na revista *Veja* de 3 de junho de 2015, o jornalista José Roberto Guzzo descreve bem "a lenda da inocência dos criminosos". De acordo com a fábula social, na qual creem ou fingem crer tantos defensores de bandidos e intelectuais de esquerda, um criminoso não é criminoso a menos que possua nível social e renda superiores. "Se o autor [do crime]", escreve Guzzo, "nasceu do lado errado da vida, cresceu dentro da miséria e não conheceu os suportes básicos de uma família regular, de uma escola capaz de tirá--lo da ignorância e do convívio com gente de bem [...], não é justo responsabilizá-lo".

Se a vítima da sociedade não tem culpa de suas escolhas equivocadas, o crime recai sobre os ombros de toda a sociedade. Logo, por essa linha de raciocínio, se a culpa é da sociedade, somos, todos nós, cúmplices da violência. Guzzo continua: "Nada como culpas coletivas para que não haja culpa alguma, para que todos ganhem o direito de se declarar em paz perante a própria consciência".

A superproteção do ECA e suas medidas de ressocialização não funcionaram para o assassino do menino João Hélio, como não funcionam para a maioria dos menores infratores. Isso ocorre seja porque o tempo de internação é insuficiente, seja porque a ressocialização não depende do Estado, mas da vontade única e particular do criminoso. No mundo utópico dos intelectuais de esquerda e de defensores dos direitos humanos (de uma parcela desumana da sociedade), existe o senso comum de que a ressocialização é o remédio para todos os males da violência. Mas, no submundo do crime, essa não é a lógica. Violência é uma prática que eles não querem abandonar. Quanto mais cruel, quanto mais bárbaro, quanto maior a ficha corrida do bandido, quanto mais graves e maior repercussão midiática tiverem seus crimes, maior será sua respeitabilidade na comunidade criminosa e maiores serão suas chances de ascender na hierarquia do crime.

Nessa completa inversão de valores, o que mais atrai discípulos do mal é a violência gratuita e banal, o completo descaso com a vida humana, o desrespeito às leis e à ordem e a certeza da impunidade. Enquanto as leis forem lenientes com criminosos — maiores ou menores, ricos ou pobres —, elas estarão alimentando a violência, fortalecendo os criminosos e desamparando a sociedade. Atribui-se ao escritor francês Victor Hugo a célebre frase que vale como ponto de reflexão: "A compaixão nem sempre é uma virtude. Quem salva o lobo condena à morte as ovelhas".

Perseguição religiosa: a Cristofobia

O Brasil foi colonizado primeira e principalmente por Portugal, país de fortíssima tradição católica. Dos "patrícios", herdamos não só o idioma, a culinária, os vícios e os costumes, mas também o cristianismo, com sua ética e seus valores. Como consequência da colonização católica, o Brasil conta, por exemplo, com feriados religiosos durante todo o ano, como *Corpus Christi*, Sexta-feira da Paixão (ou sexta-feira santa), Dia de Finados, Dia de Nossa Senhora Aparecida (tida como a padroeira do Brasil). Festejamos as principais celebrações cristãs, como a Páscoa (celebração da ressurreição de Cristo) e o Natal (nascimento de Cristo).

Nossos estados têm nomes ligados à religiosidade católica, como São Paulo, Santa Catarina e Espírito Santo. Segundo o IBGE, dos 5.565 municípios brasileiros, mais de 2.500 homenageiam santos católicos com nomes como Barra de Santo Antônio (AL), São João do Araguaia (PA), São Francisco do Conde (BA), Barra de São Francisco (ES) e São Sebastião do Rio de Janeiro (RJ).[29] E, por falar em Rio de Janeiro, é bom lembrar que o principal ícone da cidade mais conhecida do Brasil no mundo é uma gigantesca estátua que representa Jesus de Nazaré, de braços abertos, simbolicamente abraçando e abençoando o Rio: o Cristo Redentor, no morro do Corcovado. Além disso, segundo o IBGE, mais de 85% dos brasileiros se dizem cristãos, o que corresponde a 166 milhões de pessoas, entre católicos, evangélicos e integrantes de outras confissões.[30]

A DOENÇA   81

Apesar da fortíssima influência da tradição cristã no país e do fato de que fiéis de diferentes vertentes do cristianismo representam a maior parte dos brasileiros, está ocorrendo no Brasil uma lamentável perseguição religiosa contra essa maioria pacífica. É a chamada *Cristofobia*. Cristãos vêm sendo atacados em várias frentes. Parlamentares católicos ou protestantes, embora eleitos democraticamente pelo povo, são ferrenhamente criticados e desrespeitados mesmo no Congresso Nacional. Ao defender os interesses de seus eleitores, são acusados, sem qualquer prova ou indícios, de intolerância, fundamentalismo, racismo, preconceito ou homofobia. Parte da imprensa critica abertamente o direito cívico de tais congressistas de se candidatar, se eleger e representar, no parlamento, os interesses e valores de quem os escolheu.

Em nome da laicidade do Estado, promotores de Justiça estão ingressando com ações judiciais em todo país para a retirada de símbolos cristãos, como cruzes e crucifixos, de locais públicos, como repartições, cortes de justiça e casas legislativas, onde eles sempre estiveram. Embora o parágrafo primeiro do artigo 210 da Constituição garanta o ensino religioso nas escolas, de matrícula facultativa, está sendo contestado em uma Ação Direta de Inconstitucionalidade (ADI). A ADI foi ajuizada em 2010 pela então procuradora-geral Deborah Duprat. O assunto ainda é tema de debate no Judiciário.

Em cidades como Florianópolis, Bíblias não são toleradas nem mesmo em bibliotecas. A prefeitura ingressou com uma ação judicial para que esse livro — o mais lido, conhecido e vendido do mundo — seja retirado das escolas públicas e particulares. Nem mesmo a minúscula e quase imperceptível inscrição *Deus seja louvado* nas notas de real fugiu à sanha perseguidora dos cristofóbicos. Em São Paulo, o Ministério Público moveu uma ação para retirada da citação das cédulas.

Em suma, símbolos religiosos estão sendo abolidos e vilipendiados, sem que o Ministério Público tome nenhuma providência.

Em 2013, durante a visita do Papa Francisco ao Brasil por ocasião da Jornada Mundial da Juventude, no Rio de Janeiro, um grupo de feministas e militantes *gays* protagonizou cenas de ódio gratuito contra o cristianismo e os cristãos. Nus ou seminus, mas cobrindo o rosto com toucas, como bandidos, esses manifestantes destruíram imagens sacras e usaram crucifixos para se masturbar em praça pública, demonstrando seu total desprezo pelo bom senso e pela fé alheia. O crime de vilipêndio a objeto de culto, previsto no artigo 208 do Código Penal, cuja pena é de até um ano de prisão, foi flagrante, mas ninguém foi detido ou processado. Um enorme escárnio à liberdade religiosa. Outro grupo de intolerantes, formado por militantes ateístas, também hostilizou o líder da Igreja Católica Romana. Contrários à fé cristã e à cerimônia de batismo de crianças filhas de pais católicos, os anticristãos promoveram o debochado "desbatismo", para simbolicamente apagar a religiosidade com os "ventos do secularismo".

Cultos evangélicos são invadidos por militantes e viram alvo de protestos raivosos. Foi o que aconteceu durante um evento religioso no litoral do Rio de Janeiro, em 2013, quando *gays*, lésbicas e simpatizantes se misturaram a cerca de quinze mil cristãos e deram início a um "apitaço". Os baderneiros seguravam cartazes de protesto e gritavam palavras ofensivas contra o pastor que dirigia o culto, o também deputado Marco Feliciano. O ápice da provocação foi um beijo entre as duas ativistas lésbicas que convocaram a baderna pela Internet, Joana Palhares e Yunka Mihura. Em casos como esse, o Código Penal também é taxativo. O artigo 208 considera crime contra o sentimento religioso "escarnecer de alguém publicamente, por motivo de crença ou função religiosa, e impedir ou perturbar cerimônia ou prática de culto religioso". A pena prevista é detenção, de um mês a um ano, ou multa. Segundo a lei penal brasileira, as duas mulheres (na época, com 18 e 20 anos) praticaram, numa primeira análise, três crimes: escarneceram de um líder religioso publicamente por sua crença; interromperam uma liturgia; e ofenderam um ato religioso, no caso o próprio culto. Apesar da suspeita de crime, nenhuma punição foi aplicada.

É óbvio que as ativistas foram além dos limites da liberdade de expressão. Como qualquer outra garantia constitucional, a liberdade de expressão não é um direito ilimitado, nem, em nome dela, pode-se atropelar outros direitos, como a liberdade religiosa e a proteção aos locais de culto e sua liturgia. Liberdade de expressão não é salvo-conduto para o desrespeito. Não confere o direito de afrontar, insultar ou ofender. Se, nas ruas, o beijo entre duas mulheres ou entre dois homens já não ofende a moral pública, num culto religioso ainda é afronta e falta de reverência. Há dois mil anos, Jesus não tolerou os vendilhões no templo e os expulsou, e sua atitude deixou claro que nem tudo pode ser feito em qualquer lugar. Joana e Yunka erraram o foro. Deveriam ter se manifestado na Câmara Federal, que é a casa do povo. O culto religioso é realizado na casa de Deus.

Outro episódio que chocou pela violência religiosa foi a encenação de um travesti durante uma Parada Gay em São Paulo. Vestida como Cristo, com coroa de espinhos na cabeça e os seios de fora, a transformista, conhecida como Viviany Beleboni, provocou o repúdio de milhões de pessoas nas redes sociais. Depois de receber críticas de internautas, políticos e religiosos, Viviany decidiu processar um senador e um deputado por danos morais. Na Justiça, a agressora da religião se apresenta como vítima dos religiosos.

O desrespeito à religião majoritária no Brasil, com crimes que se tornam invisíveis aos olhos da lei, pode ser o princípio das perseguições. Segundo o filósofo Olavo de Carvalho, há dois tipos de perseguição à religião:

> No mundo islâmico e comunista, você tem a perseguição física, você tem a matança direta [...] e, no Ocidente, você tem o cerco legislativo, cada vez mais engenhoso, mais astucioso. Por que eles sabem que não podem entrar num ataque direto, eles não podem proibir a religião, como se fez na União Soviética [...]. Então, você cria pequenos regulamentos que vão, pouco a pouco, tornando impossível o culto religioso. [...] Você impõe ao indivíduo o dever de violar a sua consciência religiosa.[31]

Para Olavo, os cristãos vêm sendo marginalizados progressivamente, o que seria uma preparação para um genocídio cultural, que, por sua vez, precede o genocídio físico:

> Primeiro você quebra a espinha dorsal da humanidade, que são seus valores, suas crenças, seu espírito de unidade, aí você pode mandar os cristãos para a cadeia ou o pelotão de fuzilamento, que ninguém mais liga. E a mídia, quando não noticia o que está acontecendo, o silêncio deliberado, também é colaboração com o genocídio.[32]

A Cristofobia começa com o simples preconceito contra cristãos, que evolui para o ódio, a perseguição e pode culminar com a aniquilação. Sobre a extinção da religião, o escritor inglês G. K. Chesterton cunhou uma frase que serve de alerta: "Uma vez que Deus é abolido, o Estado se torna Deus". A psicóloga Marisa Lobo sustenta que há parcialidade por parte da grande mídia no que se refere ao assunto:

> A mídia é tendenciosa [...] sabe que os cristãos são o povo mais perseguido no mundo [...] Então quando noticia, ameniza, suprime os dados, para não mostrar a realidade que é assustadora em todo mundo: somos perseguidos pelas maiorias islâmicas,

por homossexuais, por ateus, por outras religiões e pela minoria no Brasil, porém uma minoria fortalecida que tem a cumplicidade de uma mídia desleal totalmente perversa e antiética.[33]

A mídia também desempenhou papel decisivo para incutir na Alemanha nazista o ódio aos judeus. Os discursos antissemitas do ministro da propaganda do Partido Nacional Socialista de Adolf Hitler, Joseph Goebbels, foram a semente do extermínio de milhões de judeus. Braço direito do *Führer*, foi ele o idealizador da queima de livros que divergiam dos ideais nazistas e da destruição de templos judeus na Alemanha e na Áustria. Goebbels censurou os meios de comunicação e organizou boicote a empresários e profissionais liberais de origem judaica. O ministro da propaganda de Hitler, que foi orador e também jornalista, produzia filmes de conotação antissemita para fomentar e justificar o ódio dos alemães contra a população judaica e a suposta supremacia racial ariana.

A história não mente: exemplos como o de Goebbels mostram que o discurso gerou o preconceito; o preconceito, o ódio; o ódio, a perseguição; e a perseguição, a morte.

Eis o caminho da intolerância.

Crise de valores

O Brasil vive uma crise de valores sem precedentes em áreas como família, educação, moral, cultura, justiça e política. Conceitos tidos como absolutos no mundo ocidental, e que serviram de alicerce para a construção e a consolidação da nossa sociedade, foram postos em xeque. Com isso, para muitos, o que era certo tornou-se errado.

Os julgamentos passaram a depender não dos fatos, mas de quem os interpreta. Vícios e valores tornaram-se relativos. A verdade agora é uma eterna dúvida. Vivemos a "cultura da crise", como descreveu o escritor e filósofo

Rossano Pecoraro, na qual os princípios e fundamentos de uma sociedade se desvalorizam e se dissolvem, quando "tudo é sacudido, posto radicalmente em discussão. A superfície, antes congelada, das verdades e dos valores tradicionais está despedaçada e torna-se difícil prosseguir no caminho, avistar um ancoradouro".[34]

Sem ancoradouro e sem rumo, segue, assim, o Brasil de nossos dias.

Confrontados sob a ótica do que é relativo, o bem e o mal, o justo e o injusto, a verdade e a mentira tornaram-se conceitos subjetivos, circunstanciais. Tudo aquilo que, por séculos, foi tido como claro acabou envolto em uma nuvem de dubiedade, indefinição e incerteza. Vivemos os tempos do relativismo.

O relativismo é a corrente filosófica segundo a qual não existem verdades absolutas. O certo e o errado dependem da visão de quem os interpreta. Assim, cada indivíduo teria o próprio conceito de verdade, de acordo com sua vivência, seu intelecto, sua moral, suas crenças, sua opinião. Segundo essa teoria, não haveria uma verdade comum, universal, mas múltiplas verdades: uma para cada indivíduo.

Um dos mais renomados teólogos católicos brasileiros do século 20, Dom Estêvão Bettencourt, descreveu o relativismo como "a recusa de qualquer proposição filosófica ou ética de valor universal e absoluto. Tudo o que se diga ou faça é relativo ao lugar, à época e a demais circunstâncias nas quais o homem se encontra. No setor da filosofia, não se poderia falar da verdade ou erro-falsidade, como na área da Moral, não se poderia apregoar o bem a realizar e o mal a evitar. O homem seria a medida de todas as coisas".[35]

Os ventos do relativismo sopram com força no Brasil do século 21. Conceitos como o de filiação e família estão sofrendo mutações, tanto nos costumes quanto nas leis. Embora, legalmente, segundo o artigo 226 da Constituição

Federal do Brasil, a família seja a comunidade formada por homem, mulher e seus filhos ou, ainda, por qualquer dos pais e seus descendentes, na prática grupos heterodoxos, como os homoafetivos, formados por casais homossexuais, e os poliafetivos, formados por casais poligâmicos, também vêm sendo interpretados como entidades familiares. A pressão desses setores pela mudança do conceito de família descrito na Constituição é grande, e no Congresso Nacional vem-se travando uma batalha de ideias entre grupos conservadores e reformistas.

O conceito universal de filiação também está sendo posto em dúvida. Numa visão relativista, filhos podem não ser mais frutos do relacionamento entre um homem e uma mulher, como dita a lei natural. De acordo com o arranjo de família no qual está inserido, de acordo com as preferências sexuais e identidades de gênero dos integrantes desse arranjo, uma pessoa poderia ter variadas filiações. Essa visão eclética de filiação e paternidade vem influenciando decisões nos tribunais. Juízes têm autorizado o registro de crianças com dois pais e nenhuma mãe, duas mães e nenhum pai, dois pais e uma mãe, duas mães e um pai, e assim por diante.

É o caso de uma menina no Rio Grande do Sul, registrada com duas mães, um pai e seis avós. A autorização para o registro foi concedida, em setembro de 2014, pelo juiz Rafael Cunha, da 4ª Vara Cível do Fórum de Santa Maria. As mães da criança são casadas legalmente, e o pai é amigo de uma delas, que se dispôs a ajudar o casal homossexual a gerar a criança.

O juiz Luiz Cláudio Broering, de Santa Catarina, também optou por relativizar o conceito de filiação e autorizou o registro de uma criança por dois pais e nenhuma mãe. A decisão atende ao pedido de um casal de homossexuais masculinos que recorreu à inseminação artificial para ter filhos. O material genético foi doado pela irmã de um dos homens.

Ela se ofereceu para gerar a criança, abrindo mão do poder familiar sobre o filho.

A relativização da filiação acaba negando uma verdade científica que assegura: um ser humano só pode ser fruto de uma mãe e um pai, ainda que algum deles ou nenhum deles exerça a paternidade de fato.

Outra inovação que está sendo proposta (ou imposta?) à sociedade contemporânea é a ideia de identidade de gênero. Sob o pretexto de combater o preconceito, militantes das minorias LGBT lutam para incluir no currículo escolar de crianças e adolescentes a chamada "ideologia de gênero". A discussão chegou, inclusive, ao Congresso Nacional, defendida por parlamentares ligados à causa *gay*, como a senadora Marta Suplicy (PMDB) e o deputado Jean Willys (PSOL). Contrariando o conhecimento científico e toda evidência biológica, os adeptos dessa vertente defendem que todo indivíduo nasce sem um gênero definido, que a condição biológica masculina ou feminina, na verdade, seria uma imposição cultural da sociedade, baseada em preconceitos religiosos. Assim, caberia a cada pessoa escolher o próprio gênero. Como vemos, nem mesmo verdades científicas incontestáveis como a lei da natureza escapam dessa onda de relativização.

Em nosso conceito de justiça, também há sinais claros da influência do relativismo. Assassinos são constantemente transformados em vítimas da sociedade, dependendo da situação financeira, da origem social e da etnia. Não importa quão cruel, violento e injustificável seja seu ato, eles contam com todo suporte e compreensão de ONGs, grupos de direitos humanos, movimentos sociais, setores ideológicos da imprensa e partidos políticos de esquerda, todos prosélitos da impunidade. Do lado das vítimas, poucos estendem a mão. Criminosos pobres são mais tolerados do que os ricos que enveredam pelo submundo do crime, e a pobreza vem se tornando salvo-conduto para a violência. Para os relativistas do conceito de justiça, o senso de moral não é um bem comum a todos, mas uma aptidão exclusiva dos bem-nascidos e bem-criados.

A dubiedade de valores também está presente fortemente na política brasileira. Um dos casos mais emblemáticos foi o da condenação, pelo Supremo Tribunal Federal, de parte da cúpula do Partido dos Trabalhadores: o ex-chefe da Casa Civil no Governo Lula, José Dirceu; o ex-presidente do PT, José Genoíno, e o ex-tesoureiro do partido, Delúbio Soares. Apesar do processo legal, da ampla defesa concedida aos réus (com direito à militância dos mais brilhantes e caros advogados do país), do profundo debate jurídico em torno do caso, dos muitos instrumentos de protelação e apelação, da condenação pelos mais experientes juízes do país, o partido que dominava o Brasil saiu em defesa de seus correligionários. Os políticos presos foram tratados como presos políticos, como se o Brasil não fosse um país democrático, como se o Judiciário estivesse submetido a alguma força política, como se o Brasil ainda vivesse em regime de exceção, como nos anos de chumbo. O trio de criminosos petistas, acusado e condenado pela mais alta Corte de Justiça do país por corrupção e lavagem de dinheiro, foi defendido publicamente pelo PT como um grupo de mártires. Pareciam dizer que os fins justificam os meios, como se defendessem que os mensaleiros roubaram por uma causa nobre, para o bem do partido, para o bem do Brasil, relativizando a imoralidade política e a culpa criminosa dos petistas.

No campo da moral, práticas como o aborto e o consumo de drogas ilícitas, considerados crimes e jamais apoiados publicamente, agora contam com o suporte de uma gama de defensores que saem às ruas para pressionar a sociedade e seus políticos em movimentos pró-legalização, como a Marcha da Maconha e a Marcha das Vadias. A relativização dos valores tem consequências, algumas devastadoras, para a nossa sociedade. Em 18 de abril de 2005, na homilia da missa preparatória do Conclave do Terceiro Milênio (reunião de líderes católicos para eleição do sucessor do Papa João Paulo II), o cardeal alemão Joseph Ratzinger já alertava para a chamada "ditadura do relativismo".

> Quantos ventos de doutrina viemos a conhecer nestes últimos decênios, quantas correntes ideológicas, quantas modalidades de pensar...! O pequeno barco do pensamento de não poucos cristãos foi frequentemente agitado por essas ondas, lançado de um extremo para o outro: do marxismo ao liberalismo ou mesmo *libertinismo*, do coletivismo ao individualismo radical, do ateísmo a um vago misticismo religioso, do agnosticismo ao sincretismo. Todos os dias nascem novas seitas e se realiza o que diz São Paulo sobre a falsidade dos homens, sobre a astúcia que tende a atrair para o erro (Ef 4.14). O ter uma fé clara, segundo o Credo da Igreja, é muitas vezes rotulado como fundamentalismo. Entrementes o relativismo ou o deixar-se levar para cá e para lá por qualquer vento de doutrina aparece como orientação única à altura dos tempos atuais. Constitui-se assim uma ditadura do relativismo, que nada reconhece de definitivo e deixa como último critério o próprio eu e suas veleidades.[36]

O sermão de Ratzinger inspira-se na carta bíblica do apóstolo Paulo aos Efésios, quando ele adverte os cristãos sobre as doutrinas inconsistentes que levam o homem à confusão e ao erro: "O propósito é que não sejamos mais como crianças, levados de um lado para outro pelas ondas, nem jogados para cá e para lá por todo vento de doutrina e pela astúcia e esperteza de homens que induzem ao erro" (Efésios 4.14).

O filósofo alemão Friedrich Nietzsche, um dos principais ecos do relativismo, acreditava que conceitos tidos como universais, como a *verdade*, o *bem* e o *mal*, são na verdade culturais, contingenciais e, portanto, mutáveis. Para o cético Nietzsche, o homem era uma animal efêmero e iludido, e a verdade não passava de uma alegoria. Ele defendia que a verdade é "uma multidão móvel de metáforas, metonímias e antropomorfismos; em resumo, uma soma de relações humanas que foram realçadas, transpostas e ornamentadas pela poesia e pela retórica e que, depois de um longo uso, pareceram estáveis, canônicas e obrigatórias aos olhos de um povo". Nietzsche acreditava que as verdades são ilusões, "metáforas gastas que perderam a sua força sensível, moeda que perdeu sua efígie e que não é considerada mais como tal, mas apenas como metal".[37]

Mas será mesmo que toda verdade é relativa? Que tudo depende da ótica de quem julga? Não haveria, ao lado das verdades contingenciais, valores perenes, que formariam uma espécie de moral coletiva, um senso comum da raça humana? E não seriam esses valores basilares e comuns que nos definiriam e identificariam como raça? Não seriam esses valores compartilhados, atemporais e aculturais que nos permitem ter uma noção do certo e do errado? Independentemente das diferenças culturais, não seriam a verdade, a solidariedade, a paz, a coragem e a honestidade preceitos mundialmente aceitos com bons, salutares e aceitáveis?

Acredito que as verdades universais não são um ponto de vista, a adaptação da realidade à mente humana. Verdade é um conceito amplo, coletivo e atemporal. Ela não se sujeita à visão do intérprete, nem se ajusta a suas conveniências pessoais.

Conferir a cada indivíduo o monopólio da verdade é destruir, no longo prazo, o próprio conceito de sociedade, segundo o qual os cidadãos estariam sujeitos a uma só legislação, às mesmas autoridades, obedecendo a normas de conduta permanentes. A organização social é incompatível com o individualismo e o relativismo, onde a verdade depende de quem a julga e cada indivíduo é juiz de si mesmo e do mundo que o cerca.

O TRATAMENTO

A renovação do pensamento e a transformação individual e social

CAPÍTULO 3

A conservadora Margaret Thatcher, primeira-ministra do Reino Unido entre 1979 e 1990, é exemplo de política que não se curvou ao populismo nem ao politicamente correto. Muito pelo contrário. Enquanto regeu os interesses da Grã-Bretanha, a Dama de Ferro tomou medidas impopulares, como a elevação de impostos, a redução de gastos com benefícios sociais e as privatizações de empresas públicas. Thatcher não titubeou nem mesmo ao declarar guerra à Argentina, quando o país sul-americano invadiu as ilhas Falklands (Malvinas), em 1982. Apesar das críticas, a *premier* conseguiu tirar o Reino Unido de uma profunda letargia econômica e política.

Thatcher, que não admitia submeter-se a pressões, tinha preocupação especial com o pensamento do povo, na linha dos ideais muitas vezes associados a ela: "Vigie seus pensamentos, pois eles se tornam palavras. Vigie suas palavras, pois elas se tornam ações. Cuidado com suas ações, porque elas se tornam hábitos. Cuidado com seus hábitos, porque eles formam seu caráter. Vigie seu caráter, pois ele será o seu destino. O que pensamos, nos tornamos".

Essa sábia linha de pensamento bem que poderia ser seguida em nosso país, pelo bem maior do povo. Miséria, ignorância, corrupção, violência, injustiça... Antes de qualquer reflexo, consequência, ação ou reação, os males do Brasil são frutos amargos que nascem porque têm suas raízes em formas de pensar equivocadas dos brasileiros. É da maneira de pensar que nascem as escolhas, o agir, a identidade, o caráter e o destino de uma nação. E, se quisermos curar o Brasil, é preciso mudar, antes, o pensamento de cada brasileiro. Temos de renovar a mente, deixando de lado o que leva a ações nocivas e alimentando o que é bom e virtuoso.

Quando pensamos em identidade nacional, logo nos vêm à mente elementos como o futebol e o carnaval. Na área dos valores, porém, o que automaticamente nos ocorre é o famigerado "jeitinho brasileiro". A expressão remete à prática comum da desonestidade, suavizada por um eufemismo diminutivo e até carinhoso. O "jeitinho brasileiro" nada mais é do que a quebra das regras sociais, o atropelo das leis e a tolerância com a corrupção, desde que ela nos favoreça ou aos nossos.

Segundo o especialista em psicologia social e em antropologia Gilberto Gnoato, trata-se de uma "categoria intermediária que se situa entre a honestidade e a marginalidade, pois é justamente este o lugar do malandro, o 'profissional do jeitinho'".[1] Gnoato explica que o "jeitinho brasileiro" situa-se numa lacuna entre o legal e o ilegal, onde as leis seriam "relativas". Essa relativização ocorreria porque, dependendo do contexto em que elas se encontram ou da identidade dos envolvidos, podem ou não valer. Um exemplo é o do fiscal que, dependendo da propina paga, pode fazer vista grossa diante de uma irregularidade ou ilegalidade.

Mas, a consequência do "jeitinho" pode ser desastrosa. Um caso muito emblemático é o do incêndio na boate Kiss, em Santa Maria (SC), ocorrido em 27 de janeiro de 2013. Diferentes fatores contribuíram para a tragédia, mas, entre eles, destaca-se o fato de que a boate só funcionava graças à negligência e à omissão do Corpo de Bombeiros, que emitiu visto para a emissão do alvará de incêndio apesar das muitas irregularidades. O saldo do "jeitinho" foram 242 mortes. No entanto, dos treze bombeiros indiciados pela polícia, apenas oito foram julgados e somente dois, condenados.

Gilberto Gnoato explica que o "jeitinho brasileiro" é também um mecanismo de defesa dos desonestos para justificar seus atos, sem ter de encarar o rótulo de *corrupto*. Assim, transformamos propina em "gorjeta", suborno em "caixinha", nepotismo em "mãozinha", negligência em "esperteza" e corrupção em "meio de sobrevivência". Em outras palavras, uma técnica de neutralização para justificar atos ilícitos, um sofisma que permite ao ladrão pensar que não furtou um carro, mas que o tomou, temporariamente, por "empréstimo". "Não seria essa a mesma lógica que norteou representantes do PT a elaborarem um ato de repúdio ao presidente do STJ em 2013? Não estariam mergulhados na mesma lógica aqueles que querem que a população acredite que os mensaleiros são presos políticos?", questiona Gnoato.

O "jeitinho brasileiro" não conhece nível social ou econômico, mas é antes de tudo um problema cultural difundido amplamente entre ricos e pobres, entre cultos e incultos. Essa distorção da realidade serve de justificativa para toda sorte de malfeitos, que faz o contraventor sentir-se escorado nessa muleta do pensamento nacional para avalizar transgressões e ilegalidades, do suborno do guarda de trânsito à compra e venda de sentenças judiciais, passando pela propina que permite a liberação de obras embargadas pelo governo.

Como já vimos, a desonestidade cultural do brasileiro está na gênese do nosso povo, desde a colonização, quando a justiça era privilégio de poucos, e os nobres e poderosos tinham, na prática, a regalia de não precisar cumprir todas as exigências da lei. Com o passar do tempo, o princípio do privilégio acima dos iguais e da vantagem a despeito das leis

96   O BRASIL TEM CURA

propagou-se por toda a sociedade. O "jeitinho", que encobria a transgressão dos ricos e poderosos, passou também a justificar a desonestidade do pobre, do ex-escravo, do ex-colono e do excluído. É como se a pobreza legitimasse a corrupção; como se, para sobreviver às dificuldades, fosse lícito atropelar as leis e a ética.

Dessa forma, surgiu a figura do "malandro", o sujeito astuto, que não trabalha e vive de bicos, agiotagem, trambiques e delitos; que dribla as regras de convivência e dá as costas para as leis. O termo "malandro" passou a definir o revés do "otário", sujeito tolo, ignorante, fracassado. Assim, o malandro entrou para o folclore nacional e ganhou a simpatia e a admiração da sociedade. Passou a representar o brasileiro típico, a ponto de ganhar representação máxima em 1928, no livro *Macunaíma, o herói sem nenhum caráter*, de Mário de Andrade. O protagonista encarnava a antítese do bom e do bem: era mentiroso, preguiçoso, transgressor e desonesto. No imaginário popular, tivemos, antes do mito do herói, um consagrado anti-herói nacional.

Na década de 1970, quem encarnou (ainda que involuntária e inconscientemente) a figura do malandro brasileiro foi um herói do esporte, Gérson, jogador campeão da Copa do Mundo de 1970 pela seleção brasileira de futebol. O atleta foi o astro da campanha publicitária dos cigarros Vila Rica, que exaltava o "jeitinho brasileiro" de ser e agir. Na propaganda, Gérson recomenda: "Gosto de levar vantagem em tudo, certo? Leve vantagem você também, leve Vila Rica". Nascia, ali, a expressão "Lei de Gérson", regulamentando-se, informalmente, o nosso inescrupuloso "jeitinho" de levar vantagem em tudo e sobre todos, apesar das leis e das convenções sociais, do senso moral e ético. Em entrevista à revista *IstoÉ* publicada em dezembro de 1999, a historiadora Maria Izilda Matos definiu a "Lei de Gérson" como mais um elemento da identidade nacional "e o símbolo mais explícito de nossa ética ou da falta de ética".[2]

Mas nem tudo está perdido! Entre *malandros* e *otários*, existe uma multidão sedenta por uma nova identidade nacional: os cidadãos de bem, essa gente decente que se envergonha de ver o Brasil rotulado como "país do carnaval", "pátria de chuteiras", "país do jeitinho", "paraíso da impunidade" e "refúgio de criminosos". Todavia, o Brasil não está condenado a seus estigmas. Podemos renovar os valores do país e mudar o rumo e a história da nação.

Sim, é possível! Temos condições de fazer o Brasil ser reconhecido como um país justo, valoroso, ético, culto e politizado. Podemos dar um jeito no "jeitinho" e acabar com a cultura da impunidade. Para transformar o macro, porém, precisamos partir do micro: tudo começa na mudança de pensamento do indivíduo, de cada um de nós, de mim e de você.

Temos de nos sentir responsáveis, individualmente, pelo país. Somos responsáveis, por exemplo, pelos rumos da nossa política e pela qualidade dos políticos que elegemos. Se o povo tem o governo que merece, então façamos por merecer um novo governo, um bom governo. Afinal, numa democracia definida pelo voto, pela vontade da maioria, os eleitos nada mais são que o espelho de quem os elege.

Falhamos quando não tomamos conhecimento ou não acompanhamos o que se passa na vida política do Brasil. Se saímos de cena, lavamos as mãos no que se refere ao destino da nação. Sinto arrepios quando alguém me diz que é um cidadão "apolítico". Cansei de ouvir declarações como "Não gosto de política", "Não me envolvo com essa sujeira" e outros desabafos do tipo. Compreendo que a decepção com a classe política leve muitos brasileiros ao desinteresse e ao descaso. Os escândalos são tantos e tão generalizados que até parece que ser político é sinônimo de ser ladrão. Mas não, não é.

Rotular os políticos, jogando a reputação de todos na vala comum da indignidade, é injusto e perigoso, porque, se acreditamos que todo político é igualmente oportunista, despreparado e desonesto, jamais assumiremos nossa responsabilidade com o voto. Se cremos que todos são iguais no sentido negativo, não teremos sequer o cuidado de buscar a exceção. E, se acreditamos que não há exceção, por que se preocupar com a consequência de nossas escolhas? Seguindo essa lógica, não precisaremos nos comprometer com o futuro de nossa cidade, nosso estado, nosso país. Não teremos de fiscalizar os eleitos, tampouco cobrar sua boa atuação.

O risco de confundir política com politicagem é atribuir ao outro a responsabilidade pelo destino do país, que na verdade está nas mãos de todos os eleitores, da coletividade, de cada um de nós. *De mim. De você.* É preciso ter em mente que o mau político não cai do céu, ele é eleito pelos cidadãos que não souberam escolher. Os maus políticos não são a causa da ruína do país, mas a consequência do individualismo, do comodismo e do desinteresse dos eleitores pelo bem comum.

A política, aliás, é comumente confundida com politicagem. Mas, enquanto a segunda define o exercício do fisiologismo, isto é, a reprovável prática de troca de favores, a primeira se refere ao instrumento de cidadania mais importante que rege nossa vida em sociedade. Política é a arte de convergir interesses individuais e, por vezes, contraditórios; é o ofício de negociar e apontar soluções que beneficiem a maioria. Assim, quem não se interessa por política não ama a democracia e, ainda que não perceba, está desprezando o bem comum.

Um povo que se preocupa com o futuro do país precisa ter consciência da responsabilidade que uma eleição carrega em si. Tem de votar com consciência, conhecendo bem os candidatos (em especial, seus feitos políticos do passado e suas propostas para o futuro). O cidadão consciente valoriza o voto, pois sabe que sua escolha não tem preço, embora possa cobrar um preço altíssimo. O eleitor que vende o voto por uma dentadura, um milheiro de tijolos ou um cargo público precisa aprender que faz uma péssima escolha, trocando o bem-estar de todo o país por uma vantagem individual e passageira.

E nossa responsabilidade não termina nas urnas, no momento do voto. Se um dia acreditamos nisso, então chegou a hora de mudar nossa mentalidade e nossa visão do processo eleitoral. O eleitor consciente fiscaliza a atuação política dos eleitos para que eles cumpram suas promessas de campanha e sejam fiéis não a interesses pessoais ou partidários, mas ao povo que os elegeu e à nação que representam.

O eleitor brasileiro tem em mãos, a cada dois anos, a chance de mudar a direção do país ou de mantê-lo no mesmo rumo. Tudo é escolha do indivíduo: agir ou permanecer inerte, votar com consciência ou desperdiçar o voto, ser ator dos próprios atos ou refém da sua omissão. No final, são nossas escolhas que selam o destino da nação. Se o país está sem rumo, se a nação caminha na contramão, é sinal de que estamos escolhendo mal e, portanto, analisando mal. É preciso, então, consertar tudo, desde o princípio: mudar nossa forma de pensamento.

O Brasil está sempre em busca de um novo redentor que salve o país da corrupção. Para o brasileiro em geral, a corrupção é exógena, ou seja, está fora, longe. Será sempre apontada e recriminada, desde que cometida pelo outro. Mas a realidade é que a corrupção não se restringe aos políticos. No Brasil, os corruptos somos nós! Nós que avançamos o sinal de trânsito; que estacionamos nas vagas de deficientes; que dirigimos pelo acostamento; que subornamos o guarda para não sermos multados; que fazemos "gato" para furtar energia elétrica ou o sinal de TV a cabo; que levamos para casa material do escritório; que "furamos" fila; que sonegamos impostos; que compramos produtos roubados, pirateados ou contrabandeados; que trapaceamos no troco; que damos propina a funcionários públicos para liberar obras embargadas; que subornamos fiscais para agilizar ações protocoladas em algum serviço público. A corrupção ocorre quando tiramos proveito próprio de qualquer situação em prejuízo de outros.

Permita-me perguntar: você já cometeu algum desses atos que listei? Então saiba que *você*, também, faz parte do problema. E, se deseja ver o Brasil curado dos males que o afligem, precisa começar a mudar o país por si, corrigindo seu modo de pensar e proceder. Agindo com retidão, você terá toda legitimidade para reclamar do governo ou criticar a corrupção.

A transformação do indivíduo

Toda grande transformação começa com pequenas mudanças, em especial no que se refere a um país. Se uma nação é a união de seus cidadãos, uma revolução ocorre da soma de mudanças individuais. Se conseguirmos transformar o micro, o individual, consequentemente poderemos mudar o macro, o coletivo. Assim, duzentos milhões de pessoas transformadas seriam o equivalente a uma pátria inteira transformada. À luz dessa constatação, a ação individual é extremamente relevante, pois tem o poder de influenciar pessoas, mudar comportamentos, renovar valores e revolucionar destinos.

Nossas atitudes contagiam quem está em volta e podem gerar um efeito cascata, repercutindo práticas saudáveis, boas ações e bons exemplos, numa espécie de "corrente do bem". No meu dia a dia como jornalista, tenho acompanhado muitos exemplos de como isso pode acontecer.

Em julho de 2015, em Santo Antônio de Planaltina, cidade no interior do Paraná, a atitude de uma comerciante local deu início a uma reação em cadeia. Indignada com um projeto de lei que aumentava o salário do prefeito e dos vereadores, em tempos de crise econômica, Adriana Lemes de Oliveira foi até a Câmara Municipal e discutiu com os vereadores. "Isso é um absurdo. O país está em crise!", foi o protesto solitário da comerciante, numa tentativa desesperada de fazer os legisladores entenderem o óbvio: que não poderiam aumentar despesas do município em um período de escassez de recursos.

A discussão entre a comerciante e os vereadores foi gravada com a câmera de um celular e postada na Internet. Em pouco tempo, o vídeo ganhou enorme repercussão e, no dia da votação da proposta de aumento salarial dos políticos, lá estava Adriana novamente na Câmara Municipal. Mas, desta vez, sua voz não foi a única a contestar o acintoso projeto. A comerciante estava acompanhada por dezenas de outros cidadãos igualmente indignados, que lotaram o plenário da casa legislativa e ecoaram o protesto. No comércio, lojas fecharam as portas e os funcionários também engrossaram o coro com Adriana. A pressão deu certo. Além de desistirem do aumento salarial, os vereadores de Santo Antônio de Planaltina aprovaram algo aparentemente inacreditável até então em um país como o Brasil: eles reduziram o valor dos próprios ganhos.

Na cidade, Adriana virou uma heroína, uma espécie de porta-voz do sentimento de indignação dos cidadãos. Em entrevista à Rede Globo, a comerciante desabafou: "O povo tem força e isso foi provado aqui. A gente não pode se acovardar, não pode. Tem que dar a cara para bater e lutar pelos nossos direitos".[3] Adriana é um magnífico exemplo de que a mudança do indivíduo e a consequente ação no campo do micro pode influenciar a coletividade e, assim, transformar uma estrutura doente em outra saudável.

Vana Lopes foi outra corajosa brasileira que, a partir de seu exemplo individual, conseguiu provocar um grande movimento. A estilista foi uma das vítimas do médico Roger Abdelmassih, condenado por estuprar mais de cinquenta mulheres em sua clínica de fertilização. Depois de violentada, Vana procurou uma delegacia, fez exame de corpo de delito e prestou queixa, mas o processo contra seu agressor nunca avançou. Apesar da leniência da justiça, a vítima nunca perdeu a esperança de ver Abdelmassih atrás das grades. Durante vinte anos, Vana seguiu os passos do doutor Roger e decidiu criar uma rede de solidariedade na Internet, reunindo relatos e documentos sobre o médico. Com a ajuda de outras vítimas, juntou e entregou à polícia e ao Ministério Público mais de trezentos documentos; entre eles, roteiros de viagens e movimentações financeiras de Roger Abdelmassih. O trabalho de Vana foi crucial para a prisão de Abdelmassih no Paraguai, em 2014.

Em vez de se lamentar e esconder atrás de uma sombra, Vana resolveu não se conformar com a mentalidade brasileira de abaixar a cabeça e deixar a injustiça prevalecer. Ela transgrediu esse pensamento dominante, decidiu lutar pela punição do criminoso e expôs com coragem e decência o seu drama. Transformou sua dor em revolta, sua revolta em uma causa e sua causa em justiça, não só para ela, mas para todas as vítimas de Roger Abdelmassih.

É preciso ser diferente para fazer a diferença. Deixar a zona de conforto, trocar o discurso pela ação. Atitudes como a de Vana e Adriana guardam em si extraordinário poder transformador, porque contagiam positivamente as pessoas, fazem um cidadão se sentir importante e, ao se conectar a outros, mais forte e mais capaz de influenciar, renovar e transformar.

As boas ações não estão apenas nas grandes causas. Há centenas de atitudes no dia a dia que podem fazer uma grande diferença para o Brasil. Dar um bom exemplo já é um ótimo começo. Que tal respeitar a sinalização de trânsito, exigir nota fiscal, pagar seus impostos, fiscalizar o uso do dinheiro público, denunciar abusos, rejeitar a corrupção, zelar pelos bens coletivos? Se você começar a fazer a sua parte e cobrar dos que estão no seu círculo de relacionamentos que façam o mesmo, acredite: podemos fazer a diferença. E mudar este país.

A transformação da família: construindo um novo indivíduo

O comportamento ético e as boas ações do dia a dia são fruto dos padrões de conduta que presenciamos ao longo da vida. E os primeiros exemplos que costumamos seguir são os de casa, os da família. Pais e mães — ou, na falta de um deles, a quem couber a tarefa de criar e educar as crianças — são o primeiro referencial de comportamento de todo pequeno ser humano. E, ressalte-se, não é o que dizemos, mas o que fazemos que realmente conta como exemplo. Sobre a importância do exemplo paterno e materno, a educadora Cris Poli afirma:

> Dia após dia, a criança recebe instrução de forma oral e observa os exemplos ao seu redor. E essas informações são absorvidas, processadas e transformadas em traços de caráter. Por isso, se o seu filho cresce em um ambiente em que todos se comportam de forma virtuosa, a probabilidade de que ele desenvolverá virtudes é enorme. Claro que isso não é uma ciência exata, mas crianças são como esponjas, que sorvem tudo o que ouvem e veem. Os pais precisam ter isso sempre em mente, para agir e falar de maneira tal que sirva como uma boa influência para os filhos.[4]

Nesse sentido, pais e mães têm um papel fundamental na definição do caráter dos filhos, indivíduos que, juntos, formarão o caráter da sociedade e, consequentemente, do país. Quem nunca ouviu o velho ditado: "Costume de casa vai à praça"? Pois o que se aprende hoje, na família, será replicado amanhã na sociedade. Claro que existem exceções, mas esta é a regra: os valores que norteiam a nação nascem nos lares dos brasileiros, das famílias brasileiras.

A família é a célula mãe da sociedade, a primeira e mais importante instituição social do mundo. Na Constituição Brasileira, a família é definida como "base da sociedade" e digna de "especial proteção do Estado". A família também configura a primeira experiência social do indivíduo. Ela representa o acolhimento e a proteção, mas não só isso: a família nos ensina os conceitos de hierarquia e respeito, a obediência às regras sociais, as primeiras noções de justiça e cidadania. Eis uma das grandes missões da família: formar novos indivíduos.

Consequentemente, quando a família falha, quem sofre é a sociedade como um todo. Famílias desestruturadas, negligentes ou permissivas são a raiz de muitos problemas sociais que enfrentamos: da corrupção à violência. É de se perguntar: Que tipo de valores estamos ensinando a nossas crianças? Que exemplos temos sido para esses pequenos cidadãos?

Quando transmito o noticiário, causa-me indignação especial casos de violência contra mulheres e crianças, e episódios envolvendo racismo. O líder sul-africano Nelson Mandela disse certa vez: "Ninguém nasce odiando outra pessoa pela cor de sua pele, por sua origem ou religião. Para odiar, as pessoas precisam aprender".[5] De fato, nenhuma criança nasce racista. Embora tenham inclinações inatas, crianças são como páginas em branco, com muito espaço a preencher. É com os exemplos que recebem que elas aprendem a julgar as pessoas por características como a cor da pele. E com quem elas aprendem isso, em primeira instância? Com os pais e familiares.

Pais racistas incutem nos filhos a detestável noção de racismo, contaminando-lhes a mente e deturpando-lhes o comportamento. E o racismo é uma das causas de intolerância e violência no Brasil. Como admitir que uma nação mestiça como a nossa seja conivente com conceitos tão atrasados e equivocados como o da "superioridade racial"? Cidadãos racistas muitas vezes são o espelho de pais racistas. Assim, uma sociedade racista é produto, em grande parte, de uma educação racista, transmitida por uma família racista.

Famílias são fortes exemplos de violência, principalmente contra a mulher. Homens violentos são, muitas vezes, frutos de uma educação nociva que incluiu abusos, omissão e permissividade. E nem mesmo a festejada Lei Maria da Penha poderá transformar a cultura machista e violenta que se impõe nos lares brasileiros, se não mudarmos os valores familiares. Infelizmente, nós, mulheres, somos ao mesmo tempo vítimas dos homens e algozes de nós mesmas. Somos vítimas quando sofremos, na pele, a agressão; somos algozes quando educamos os filhos para a violência e a opressão.

Famílias desestruturadas também são as maiores fornecedoras de mão de obra para o tráfico de drogas. Sem uma base familiar sólida, negligenciados por pais e mães, esquecidos pelo próprio Estado, crianças e adolescentes são rapidamente acolhidos nos braços do crime e acabam engrossando as fileiras do tráfico. O que atrai esses indivíduos para a bandidagem não é a pobreza em si, mas a desestrutura da família, que afeta sua moralidade por falta de referenciais paternos e instrução ética. Em busca de ascensão social rápida, poder e prestígio, muitos se deixam seduzir pelas ofertas rápidas da ilegalidade e acabam escolhendo o caminho mais fácil: o da criminalidade. Na maioria das vezes, um caminho sem volta.

Crianças precisam de disciplina e amor, para crescer como homens e mulheres valorosos, cidadãos éticos, seguidores das leis e defensores da justiça, da paz e da ordem. E o que é a disciplina senão a capacidade de saber, de aprender e de ser? Para todo discípulo é preciso haver um mestre. Ser mestre é antes de tudo, ser exemplo. É ser aquele modelo que inspira o discípulo ao que é bom, ao que é belo, ao que é justo.

Para o físico alemão Albert Einstein, "Dar o exemplo não é a principal maneira de influir sobre os outros, é a única maneira". Somos pais e somos mestres. Somos os construtores das novas gerações. Somos os artífices do Brasil que ainda está por vir, moldando em nossos filhos seus valores, seu caráter, sua essência.

Somos o espelho de nossas crianças, e elas serão o reflexo do que somos.

A transformação das instituições

É certo que a transformação do indivíduo afeta não só ele próprio, mas todo o conjunto da sociedade em que ele está inserido, em que vive e interage. Assim, a renovação da mente e a mudança de hábitos também podem transformar instituições públicas e privadas.

A transformação das empresas

A empresa privada é comumente estigmatizada, como símbolo de ganância e exploração. Essa percepção é fruto de uma visão preconceituosa e depreciativa, elaborada não raro por pensadores comunistas e socialistas, inimigos históricos do livre mercado. A realidade é que as empresas desempenham um papel extremamente positivo na sociedade.

Além de gerar lucro para acionistas, garantir empregos, salários e a chance de ascensão social para seus colaboradores, contribuir para o desenvolvimento de cidades, estados, regiões ou do país e suprir demandas dos consumidores, as empresas são, também, as maiores pagadoras de impostos, no Brasil. Entre as cinco companhias que mais recolheram tributos na cidade de São Paulo, em 2014, por exemplo, está o Google, que, segundo o colunista da revista *Veja* Lauro Jardim chegou a pagar mais de R$ 1 bilhão ao longo do ano.[6] São impostos que *deveriam* servir toda a coletividade, em forma de boas escolas, hospitais eficientes, transporte público de qualidade, segurança pública, entre outros serviços. Assim, a relação entre empresas e indivíduos é um vínculo baseado na troca de interesses que favorecem ambos os lados, uma espécie de "simbiose" em prol de todos.

Nas últimas décadas, tem emergido uma classe de consumidores mais conscientes, comprometidos com sua comunidade, exigentes e íntegros. São esses consumidores que vêm transformando, profundamente, os valores e a forma de atuação das empresas. A mudança de mentalidade dos indivíduos fez surgir o conceito das chamadas "empresas cidadãs". Imbuída de responsabilidade social, a empresa cidadã é aquela que se compromete com boas práticas de gestão, lealdade, honestidade, obediência às leis, respeito aos consumidores, valorização de funcionários, sustentabilidade e responsabilidade ambiental.

A empresa cidadã concentra-se não apenas no lucro e no sucesso da própria administração, mas preocupa-se também com proporcionar benefícios a toda a sociedade, de forma direta ou indireta, por meio dos chamados *stakeholders*, pessoas ou grupos que têm participação, investimento ou ações na companhia: colaboradores, clientes, concorrentes, autoridades públicas, fornecedores e outros. Quando uma empresa decide ser cidadã, produz um raio de benfeitorias em torno de si, contribuindo grandemente para a constituição de uma sociedade mais justa e um país melhor.

Foi graças à mudança de paradigmas dos indivíduos que as empresas passaram a ter na ética um ativo de grande importância. Como as pessoas físicas, a conduta das pessoas jurídicas passou a ser acompanhada, analisada e julgada por toda a sociedade. Dessa forma, já não basta, à empresa, oferecer o preço justo, a boa qualidade do serviço ou do produto; o consumidor demanda por ética.

A transformação das instituições públicas

Se a mudança do indivíduo pode mudar as empresas privadas, é possível também transformar a gestão e as instituições públicas. Um dos maiores vícios na administração pública é justamente a confusão entre a utilidade pública e o interesse privado. Muitos gestores e servidores se valem de seus cargos e funções para negociar privilégios, obter vantagens pessoais, favorecer parentes e amigos, burlar o sistema e enriquecer ilicitamente.

No Brasil de hoje, a corrupção se tornou uma prática de governo e uma prática de gestão. O ilícito lamentavelmente tornou-se a regra e, se quisermos ver o país curado dessa lógica perniciosa, é preciso mudar mentalidade e indivíduos. A Operação Lava Jato, implementada em 2015 pela polícia e pelo Ministério Público Federal para investigar fraudes na Petrobras, uma das maiores empresas do Brasil, revelou como uma quadrilha composta por políticos, empreiteiros, doleiros, lobistas e agentes públicos conseguiu fraudar licitações, superfaturar obras e desviar recursos em benefício próprio e para abastecer campanhas políticas. Só com a corrupção, o prejuízo da Petrobras ultrapassou os R$ 6 bilhões. E, só em 2014, as perdas foram de R$ 21,587 bilhões, segundo balanço auditado pela empresa de consultoria PricewaterhouseCoopers (PwC), divulgado em abril de 2015.[7]

Bens públicos, como a Petrobras, não pertencem a mim, a você, ao Governo, a partidos nem aos corruptos. Bens públicos são bens comuns, patrimônio do povo. Como bem comum, o patrimônio público deve ser tratado, por todos, com zelo absoluto. Sua dilapidação por agentes políticos e funcionários que deveriam zelar por ele é inaceitável.

E, se entendermos que o desfalque provocado pela corrupção vai muito além do dinheiro roubado, talvez pudéssemos ter a real dimensão do mal que o corrupto representa. O prejuízo não é apenas no bolso. Há outros grandes danos relacionados a ele. Quando a corrupção impera, as regras são atropeladas, desrespeitadas e anuladas, o que abre a porta para o caos, onde vale a máxima do "cada um por si". A mentalidade corrupta desvirtua a missão das instituições públicas. Comandadas e controladas por corruptos, escolas, creches, hospitais, cartórios, departamentos de trânsito e outros órgãos deixam de cumprir sua missão maior: a de assistir a população. Porque o objetivo maior do corrupto não é servir, mas servir-se. É desenvolver meios e estratégias para tirar vantagens em benefício pessoal, usando, para isso, as engrenagens das empresas públicas, os conchavos com poderosos e as falhas de fiscalização e punição.

Como corruptos precisam se cercar de outros corruptos para prosperar, cargos públicos que deveriam ser ocupados pelo requisito da meritocracia acabam sendo presenteados a funcionários desonestos, sejam aliados, sejam amigos, sejam familiares do interessado. O que se estabelece a partir daí é uma forma de gestão em que o importante não é a prosperidade da empresa pública, a excelência, a eficiência ou a boa prestação de serviços, mas tão somente o empoderamento do indivíduo, de um grupo ou cartel. O corrupto se locupleta da máquina pública, que passa a ser considerada com o único objetivo de enriquecer uma casta de malfeitores, à revelia do bem comum.

Mas, para o bem do Brasil, toda essa cadeia de corrupção deve ser interrompida. É preciso acabar com a lógica torpe da vantagem pessoal, em detrimento da lei, das pessoas, da ética, de tudo, enfim. Nesse sentido, deve partir de agentes e funcionários do setor público a mudança de mentalidade, de paradigmas equivocados para transformar o serviço prestado e as instituições representadas, que então garantirão o cumprimento de seu propósito, de sua única razão de ser: bem servir o cidadão.

São atitudes importantes e inspiradoras agir com correção e justiça; negar-se a compactuar com a corrupção; fazer valer a lei; não aceitar subornos e presentes; não privilegiar amigos e parentes; não colocar interesses pessoais acima dos interesses da empresa; e denunciar desvios, desmandos, improbidade, ilegalidades e tudo o que contradisser a ética e a boa gestão.

Em 2011, quando denunciou a existência de "bandidos de toga", em referência a juízes que praticam crimes e se escondem atrás dos cargos, a então presidente do Conselho

Nacional de Justiça (CNJ), Eliana Calmon, quebrou a tradição corporativista dentro do Judiciário, segundo a qual juízes protegem juízes, a despeito de seus erros. Calmon tornou público um escândalo contumaz que sempre foi abafado e permaneceu circunscrito ao seleto mundo da magistratura. Ignorando as críticas, a juíza se expôs e chamou a atenção de toda a sociedade para a corrupção de magistrados, que recebiam como única punição a dádiva da aposentadoria compulsória.

Por suas declarações, Eliana Calmon foi duramente atacada por instituições de classe e colegas de profissão. Mas, apesar de tantas pressões, a juíza destemida marcou positivamente sua passagem pelo CNJ investigando a evolução patrimonial de juízes acusados de improbidade administrativa, entre outras ações. No entanto, fiscalização, denúncia e investigação só surtem efeito contra a corrupção quando se convertem em punição. E, para isso, é necessário mudar também as leis.

A transformação das leis

O Brasil é um país fértil de juristas, legisladores e legislações. Há leis para quase tudo neste país, mas muitas acabam virando entulho, porque são inconstitucionais, obsoletas ou simplesmente porque carecem de regulamentação e, portanto, de eficácia. Devido ao excesso de normas e à baixa qualidade de nossas leis, processos abarrotam o Judiciário, confundem juízes e partes, trazendo insegurança jurídica a toda a sociedade. Leis mal redigidas ou excessivamente lenientes podem ser uma brecha, inclusive, para a impunidade.

A ação penal 470, mais conhecida como o processo do Mensalão, é um exemplo de como uma mesma legislação pode ser justa e injusta ao mesmo tempo, dependendo do réu em questão. Enquanto o publicitário Marcos Valério, operador do esquema de corrupção, foi condenado a mais de quarenta anos de prisão, um dos integrantes do Mensalão, o ex-ministro José Dirceu, livrou-se do crime de formação de quadrilha e acabou condenado a apenas sete anos e onze meses por corrupção ativa. As leis foram generosas com o petista, e Dirceu passou menos de um ano na cadeia. Aliás, as benesses da lei penal também alcançaram outros integrantes do núcleo político. Decorridos menos de doze meses do cumprimento da pena no presídio, José Genoíno, ex-presidente do PT, Delúbio Soares, ex-tesoureiro do partido, Jacinto Lamas, ex-tesoureiro do extinto Partido Liberal (PL), e Carlos Alberto Rodrigues Pinto (o "bispo" Rodrigues), ex-deputado federal, passaram a cumprir prisão domiciliar. O desfecho do caso do Mensalão pode ser interpretado de duas formas: vitória da justiça sobre o crime do colarinho branco ou triunfo da impunidade, apesar da punição.

Além de políticos famosos, as leis também costumam agraciar com a dádiva da impunidade outros tipos de criminosos. É o caso, por exemplo, dos assassinos do trânsito. Segundo dados do Sistema Único de Saúde (SUS) divulgados em novembro de 2014, a média de vítimas fatais do trânsito no Brasil é de vinte em cada grupo de cem mil habitantes,[8] sendo a maioria delas causada por motoristas alcoolizados, que as brechas na lei brasileira permitem proteger. Processados em geral por homicídio culposo, quando não há intenção de matar, esses motoristas acabam sendo condenados à pena máxima de quatro anos de prisão. Como muitos são réus primários, recebem o benefício de cumprir a punição em regime aberto, o que corresponde, na prática, a uma quase impunidade.

Quando bem elaboradas e cumpridas, as leis são um importante instrumento para mudar a sociedade. Esse é o caso da Lei de Responsabilidade Fiscal, sancionada em maio do ano 2000. Ela se aplica a todos os gestores públicos e tem mecanismos para combater gastos excessivos com a folha de pessoal e o descontrole da dívida pública para o equilíbrio das contas. Outro bom exemplo de legislação que faz a diferença é a Lei da Ficha Limpa. A LC 135/2010 nasceu da vontade dos cidadãos. Mais de um milhão e meio de brasileiros assinaram o projeto de iniciativa popular idealizado pelo juiz Márlon Reis. Desde que se tornou lei, tem ajudado a barrar, nas eleições, candidatos condenados por corrupção e improbidade administrativa.

Você pode mudar sua forma de pensar e atuar como agente multiplicador, influenciando positivamente outras pessoas, servindo de exemplo para o país. Se o cidadão pode renovar a mentalidade, também pode mudar uma legislação capaz de transformar o Brasil.

A transformação do Brasil

Transformando o Brasil pela ética

A ruína moral e ética do Brasil não é de hoje. Já dava sinais claros desde a República, quando Rui Barbosa declamou seu mais conhecido discurso, também mencionado no capítulo 1:

> De tanto ver triunfar as nulidades, de tanto ver prosperar a desonra, de tanto ver crescer a injustiça, de tanto ver agigantarem-se os poderes nas mãos dos maus, o homem chega a desanimar da virtude, a rir-se da honra, a ter vergonha de ser honesto.

O Brasil tem uma enorme demanda por corrupção porque muitos brasileiros acabaram se corrompendo. Grande parte acredita-se no direito de burlar leis, driblar a fiscalização, comprar a carteira de habilitação ou o diploma universitário, ganhar ilicitamente a licitação. Essa crença deve-se à insistência no autoengano, porque o corrupto se espelha sempre nos maus exemplos. É a mentalidade de quem defende pensamentos como "Ora, se meu chefe é desonesto, eu também posso ser" ou "Se o vereador, o deputado, o prefeito, o governador e o presidente são corruptos, posso ser também".

Percebe como a mudança de pensamento é fundamental para a transformação do indivíduo, das instituições e da nação? Porque é da soma das mentalidades individuais que nasce a mentalidade de uma nação. Se você se dá conta de que tem compactuado com o pensamento corrupto, então a hora de repensar é já. Aliás, já passou da hora: estamos atrasados e precisamos correr atrás do prejuízo com urgência, para jamais negociar o que é inegociável.

Se escolhemos o caminho da falcatrua, desprezamos o mérito, acolhemos o crime e premiamos os desonestos. Somos um povo doente, combalido por uma moléstia chamada *corrupção*, que na verdade já se tornou epidemia. E a única forma de combater o mal que nos aflige é reconhecer que estamos enfermos. Temos, necessariamente, de reconhecer que somos parte do problema. É duro admitir isso, mas a verdade é que somos, igualmente, corruptos, pois, quando a honestidade está em xeque, não existem *pecadinhos* ou *pecadões*. Tudo o que é ilícito é reprovável: do suborno do guarda de trânsito ao caixa dois da eleição.

Quem está disposto a mudar o país precisa começar mudando a si mesmo, porque a cura da sociedade começa pela cura do indivíduo. Você quer mudar o país? Está cansado dos problemas do Brasil? Então comece por rejeitar os pequenos atos de corrupção do dia a dia. São eles que formam, amanhã, os grandes corruptos. E não nos esqueçamos: o que separa um trapaceiro anônimo e um corrupto famoso é apenas a oportunidade. Na essência, são ambos desonestos.

Se temos poucos exemplos de honestidade, sejamos nós mesmos o modelo de ética que o país precisa seguir. Sejamos, como disse Rui Barbosa, "a sentinela vigilante", o "farol que não se apaga, em proveito da honra, da justiça e da moralidade".

Transformando o Brasil pela educação

"A educação é a arma mais poderosa que você pode usar para mudar o mundo." Essa frase é do ex-presidente Nelson Mandela, artífice do fim do *apartheid* na África do Sul. Mandela, ou Madiba, como era chamado em sua aldeia, nasceu na pequena vila Mvezo. Filho de pais analfabetos, foi o primeiro membro da família a frequentar uma escola. Tornou-se advogado, ativista, prisioneiro político e, por fim, presidente da república. Em toda essa trajetória, algo que o marcou, sempre, foi sua defesa atuante da educação em seu país.

O líder político que conseguiu unir brancos e negros na África do Sul acreditava ser possível criar um mundo em que todas as crianças tivessem acesso à boa educação. "Os que não acreditam nisso têm imaginação pequena", pregava. Quando penso sobre essa realidade, não tenho como não voltar os olhos para a nossa pátria e questionar: e nós, brasileiros, será que cremos no poder transformador da educação?

A educação é assunto presente no discurso de dez em cada dez políticos no Brasil. É promessa de campanha e meta de prefeitos e governadores por todo o país. Educação tornou-se lema do segundo mandato da presidente Dilma, cujos marqueteiros cunharam o pomposo bordão "Brasil, Pátria Educadora". Não sei se isso foi um escárnio ou um sinal de esperança lá no fim do túnel. Mas, afinal, por que em nosso país se fala tanto em educação mas, na prática, se faz tão pouco para de fato educar? Será que, embora saibamos do poder transformador que ela tem, na realidade não cremos no poder da educação? Ou será que simplesmente há quem não tenha interesse em mudar o país por meio da educação por temer as consequências políticas de ter uma população de fato educada, crítica e pensante?

O belo discurso sobre a educação esconde a prática vazia de governantes, parlamentares, intelectuais, educadores, pais e

O TRATAMENTO   115

estudantes. Infelizmente, para muitos brasileiros, não importa se a educação é de qualidade: basta depositar os filhos na escola e, pronto, cumpriu-se a obrigação. Já para muitos desses filhos, que receberam o gigantesco privilégio de sentar na carteira de uma sala de aula, basta passar de ano, mesmo que seu aprendizado tenha sido pífio e ele esteja didaticamente reprovado. Para muitos cotistas, basta entrar na faculdade, nem que seja por caridade ou por engano. Para o Estado, bastam as estatísticas positivas. O conhecimento, o discernimento, o senso crítico da população são meros detalhes.

Quando o assunto é educação, os investimentos no Brasil são ínfimos; as metas, tacanhas; as expectativas, baixas; e as exigências, mínimas. Nivelar o processo educacional por baixo não só é medíocre, como constitui também um desastre! O fato é que nós, brasileiros, nos contentamos com pouco ou quase nada. Fazemos e aceitamos uma educação de faz de conta: para passar de ano, para reeleger, para "cumprir tabela". Educação apenas para constar. E, enquanto esperarmos tão pouco, menos ainda obteremos. Quanto mais baixas as expectativas com relação à educação, tanto mais medíocres seremos como cidadãos, como povo, como nação. Pois mediocridade é, por definição, justamente o que é de qualidade média, comum: nem o pior, muito menos o melhor, apenas e tão somente o mediano.

Felizmente, há quem recuse o comodismo e a mediocridade. Existem aqueles que não aceitam as coisas como são ou estão e lutam para fazer a diferença, ainda que tudo pareça igualmente sem esperança. A estudante Isadora Farber, aluna de uma escola pública em Florianópolis (SC), é um exemplo a ser seguido. Cansada de esperar pelas autoridades e pelo poder público, ela decidiu fazer, por conta própria, algo para melhorar a educação. Em julho de 2012, então com 13 anos de idade, Isadora criou uma página no Facebook para denunciar as mazelas de sua escola: de portas quebradas a professores que não davam aulas. Na página, intitulada *Diário de Classe*, a adolescente justifica sua atitude: "Quero o melhor não só *pra* mim, mas *pra* todos".[9] Crítica das cotas para alunos, da aprovação automática e do desinteresse de pais, alunos e mestres pela qualidade do ensino, Isadora Farber conseguiu, sozinha, chamar a atenção de todo o país para os problemas da educação pública.

Mas, adivinhe o que aconteceu? Por falar a verdade em seu Diário de Classe, Isadora foi perseguida e hostilizada por colegas, professores e funcionários. Recebeu ameaças de morte pela Internet e viu a avó ser apedrejada em retaliação a suas denúncias. Nada disso deteve essa brasileira destemida, que fez a diferença e não se deixou calar. Sua página alcançou a marca de quase 600 mil curtidas. Isadora foi lida por milhões de brasileiros, recebida pessoalmente pelo ministro da Educação, e até mesmo citada pelo renomado jornal inglês *Financial Times* como um dos 25 brasileiros que deveriam ser acompanhados de perto. A adolescente catarinense inspirou outros estudantes pelo país a criarem os próprios diários de classe, a cuidarem de sua escola e exigirem professores capacitados e boas condições de ensino.

Isadora estuda agora em uma escola particular, mas não abandonou seu compromisso com a educação pública. Com a ajuda de familiares e amigos, criou uma ONG para promover melhorias nas escolas, por meio de premiações, palestras e cursos. Em 2014, lançou um livro sobre sua rica experiência com o Diário de Classe.

A trajetória da inconformada estudante brasileira se assemelha à história de luta pela educação de outra adolescente, a paquistanesa Malala Yousafzai. Ela também escrevia um diário sobre as dificuldades que passava em seu país para ter assegurado seu direito de estudar. No Paquistão, dominado pelos talibãs, a educação de meninas é considerada mais que um despropósito: é um acinte. Mas Malala não se conformava. Queria estudar e garantir a outras meninas o direito de estudar. Por ter contrariado interesses das autoridades fundamentalistas no Paquistão, aos 15 anos a adolescente foi baleada na cabeça. Malala ficou entre a vida e a morte, mas sobreviveu para contar sua história e continuar sua luta pela educação. A jovem que arriscou a própria vida para fazer a diferença em seu país acabou recebendo o Prêmio Sakharov para a Liberdade de Pensamento. Ela se tornou a pessoa mais jovem a receber o significativo Prêmio Nobel da Paz e, em 2013, acabou listada pela revista *Time* como uma das cem pessoas mais influentes do mundo. Imagine! Em uma entrevista, a idealista paquistanesa desabafou: "O mal de nossa sociedade e de nosso país é sempre esperar que outra pessoa conserte as coisas por nós".[10]

Qualquer semelhança entre o Paquistão e o Brasil não é mera coincidência. Ainda bem que Malalas e Isadoras não costumam esperar. E você, o que está esperando?

Transformando o Brasil pela indignação

Triste é o povo que perdeu a capacidade de se indignar, de protestar, de manifestar publicamente seu inconformismo! Ai de nós, que nos conformamos com a miséria, nos acomodamos à insegurança, nos acostumamos à corrupção, à falta de educação, ao descaso com a saúde, ao atropelo da ordem, ao escárnio das leis!

Certa vez, ouvi uma afirmação, cujo autor desconheço, que dizia: "O brasileiro é um misto de acomodação e esperança". Essa é uma grande realidade. A maioria da população é, infelizmente, a encarnação da letargia. Do conforto da inércia, esperamos que alguém, em nosso lugar, proclame nossa revolta, peleje nossas lutas, corrija todos os erros e mude o Brasil. Enquanto isso, assistimos, passivamente. E tudo o que fazemos é reclamar sem, de fato, tomar qualquer atitude para transformar a realidade e curar a nação. Em vez de agir, esperamos, esperamos e esperamos... até cansar de vez.

118   O BRASIL TEM CURA

E, enquanto aguardamos por um redentor, que está sempre além de nós, o país segue, inexoravelmente, rumo a uma situação cada vez mais temerária. Já em sua época, o jornalista Nelson Rodrigues afirmava que o mínimo que se poderia esperar de um povo que vive num país como o Brasil é o protesto: "Ele tem que espernear, tem de subir pelas paredes, tem de se pendurar no lustre. Sua dignidade depende de sua indignação. [...] É o protesto, repito, que o salva, que o redime e que o potencializa".[11] Em uma de suas crônicas mais famosas, escrita em 1966, quando da derrota da seleção brasileira para a Hungria na Copa do Mundo da Inglaterra, Nelson Rodrigues descreve a tragédia do subdesenvolvimento como algo que vai além da miséria e da fome:

> Talvez seja um certo comportamento espiritual. O sujeito é roubado, ofendido, humilhado e não se reconhece nem o direito de ser vítima. [...] Olhem a nossa cara. Reparem: é a cara da derrota. Afinal de contas, o que é o subdesenvolvimento senão a derrota cotidiana, a humilhação de cada dia e de cada hora.[12]

A nós, cidadãos brasileiros, ultrajados todos os dias nos direitos mais elementares, resta a indignação. Mas não subestimemos o poder da indignação. Ela é porta-voz das demandas, é abre-alas das mudanças. Um exemplo primoroso na história do nosso país foi o da indignação com os abusos do regime militar, que fez surgir, em 1983, o movimento *Diretas Já*. Em março daquele ano, o povo foi às ruas do pequeno município pernambucano de Abreu e Lima para pedir a volta da democracia. Em pouco tempo, o movimento se espalhou por outras cidades e outros estados. Políticos, artistas e jornalistas se contagiaram com o espírito democrático do voto direto e, com isso, a indignação com o governo militar se agigantou.

A insatisfação popular virou projeto de emenda à Constituição. Apesar de não ter alcançado o número suficiente de votos para transformar a PEC em lei, a voz das ruas conseguiu convencer lideranças (antes simpáticas aos militares) a mudarem de lado e apoiarem o fim do regime de exceção. O movimento *Diretas Já* foi decisivo para a transição, em 1985, da ditadura para a democracia. Outra onda de indignação que resultou em mudança política foi o movimento *Fora Collor*, protagonizado pelos chamados "caras-pintadas", que, de forma pacífica e ordeira, exigiu a saída do presidente Fernando Collor de Melo, em 1992. A mobilização popular foi vitoriosa e culminou com a renúncia do homem que se elegeu sob a pecha de "o caçador de marajás".

Mais recentemente, uma série de insatisfações, que teve origem no aumento de vinte centavos nas passagens de ônibus, deu corpo aos protestos de junho de 2013, que tomaram conta de todo o país. Multidões de insatisfeitos foram às ruas, de norte a sul, gritar sua revolta contra os mais variados assuntos, como a violência desenfreada, a corrupção no governo, a impunidade, a saúde moribunda, o mau uso do dinheiro público na Copa do Mundo... Eram tantos anseios dos manifestantes que a insatisfação contra o preço das passagens tornou-se irrelevante e acabou virando apenas o estopim para muitos outros gritos de insatisfação bem mais profundos e legítimos. Sim, a indignação e a voz das ruas têm poder, como bem mostra o ativista e pastor presbiteriano Antônio Carlos Costa, fundador e líder do movimento Rio de Paz:

[O senador] Pedro Simon (PMDB) nos disse, no momento em que entregamos em suas mãos uma petição, com mais de um milhão e meio de assinaturas, para que o senador Renan Calheiros (PMDB) não assumisse a presidência do Senado Federal: "Não esperem desse Congresso nada de dentro para fora. O que tivermos que fazer pelo país será de fora para dentro. Ele só trabalha sob pressão. A Lei da Ficha Limpa, por exemplo, foi aprovada aqui dentro por medo da população. Não saiam das ruas". Aquilo me fez ver a importância das manifestações de rua. No auge das manifestações que tomaram conta do país em 2013, estive em Brasília, aproveitando essa oportunidade única de lutar pelos direitos do povo brasileiro. Podíamos observar o clima instaurado no Congresso. Havia muito medo da população nas ruas. Recordo-me de o senador Pedro Simon mais uma vez me dizer: "Eu nunca vi o Congresso Nacional trabalhar tanto. Este é o Congresso com que sempre sonhei".[13]

Apesar da legitimidade das demandas, vândalos supostamente a serviço de partidos de extrema esquerda acabaram desvirtuando o sentido dos protestos. Os chamados *black blocs* depredaram o patrimônio público e destruíram lojas, agências bancárias, lanchonetes, concessionárias, pontos de ônibus e tudo o que viam pela frente. Esses criminosos transformaram protestos pacíficos e legítimos em tristes espetáculos de baderna e vandalismo. Policiais foram atacados e o cinegrafista da rede Bandeirantes de televisão Santiago Ilídio Andrade, que cobria uma manifestação no Rio de Janeiro, foi morto, atingido por um morteiro disparado por dois vândalos.

A violência dos *black blocs* acabou afastando das ruas os manifestantes ordeiros, e o movimento se esvaziou. As ruas se calaram pouco menos de um mês após a primeira manifestação. A maioria das promessas feitas pelo Governo não foi cumprida. Mas o saldo dos protestos de junho de 2013 não foi de todo negativo. O Congresso Nacional fez sua parte, aprovando o fim do voto secreto, no Legislativo, para cassação de mandatos e para análise de vetos presidenciais. O Senado também validou o projeto de lei que inclui a corrupção no rol de crimes hediondos.

Indignação foi o sentimento que uniu os brasileiros novamente, em 2015, contra Dilma Rousseff, presidente reeleita às custas de promessas enganosas, que se revelaram imediatamente após a posse da petista. Antes de reeleita, Dilma prometeu que a conta de luz das famílias brasileiras ficaria 18% mais barata. Depois da posse, em 2 de março de 2015, o Governo anunciou reajuste extra para distribuidoras de todo o país e ainda um aumento das tarifas do sistema de bandeiras.

Durante a campanha, a presidente petista garantiu que ampliaria o investimento em infraestrutura, educação e saúde. Depois de reeleita, promoveu cortes nas áreas mais vitais da administração pública. Dilma Rousseff sacrificou a educação, que perdeu R$ 9,4 bilhões em investimentos, a saúde, que teve perdas de R$ 11,8 bilhões e o Programa de Aceleração do Crescimento, que sofreu um desfalque de R$ 25,7 bilhões em verbas. A candidata que acusava a oposição de amedrontar o povo com fechamento de postos de trabalho e perda do poder de compra dos salários se tornou a presidente responsável pelo descontrole da inflação, pelo aumento do desemprego e pela volta da recessão.

Revoltados com o que muitos chamaram de "estelionato eleitoral" cometido por Dilma Rousseff e seu partido, mais de um milhão de brasileiros se reuniu num movimento apartidário para exigir a saída da presidente que alcançou o pior nível de rejeição popular desde o fim do Regime Militar. Em julho de 2015, segundo pesquisa divulgada pela Confederação Nacional do Transporte (CNT/MDA), a reprovação da presidente era de incríveis 70,9%, o pior índice desde a redemocratização do país, na década de 1980.[14]

É importante lembrarmos que a indignação não é um fim em si mesmo, mas o início de um processo. Como a jornada, que sempre parte de um primeiro passo, e a tempestade, que começa com uma gota, toda grande mudança nasce de uma palavra. No grito dos indignados, no texto dos inconformados, no voto dos insatisfeitos.

Transformando o Brasil pelo voto

Num Estado democrático, como o Brasil, com instituições fortes e independentes, com a divisão de poderes e a escolha de políticos pelo voto, posso dizer, sem medo de errar, que o povo tem o governo que elege. Presidentes incapazes não ocupam o cargo mais elevado da República por acaso. Parlamentares venais não aparecem por mágica. Administradores corruptos não são fruto do acaso. O mau político é sempre escolhido pelo mau eleitor. Você e eu somos os responsáveis diretos pela política que nos guia e pelos políticos que nos governam. Se quisermos mudar o Brasil, teremos de transformar o eleitor brasileiro. Se abominamos a corrupção e repudiamos o sistema de saúde, a educação capenga, as leis frouxas, a fiscalização falha e o excesso de impostos, é preciso fazer algo mais que protestar.

As manifestações de junho de 2013 e os protestos pelo *impeachment* da presidente Dilma em 2015, que mobilizaram milhões de cidadãos de norte a sul do Brasil, foram sem dúvida um recado claro àqueles que governam o país. Um aviso de que o "gigante" não está adormecido, como se imaginava. Mas a transformação revolucionária pela qual o Brasil precisa passar não se faz apenas no grito das ruas, na indignação dos protestos. O maior poder de transformação social está nas urnas, no voto livre dos eleitores conscientes e responsáveis. Pois quem vota com a barriga não escolhe certo. Quem vota em proveito próprio não está votando pelo bem comum. Quem vota pensando no hoje está preterindo o amanhã. Não tenho dúvidas de que a maior revolução na política se fará pelas urnas. Mas um país não muda se o eleitor não mudar.

E quando é que o eleitor muda? Quando toma consciência do seu poder de escolha, da capacidade de transformação que seu voto possui. Quando passa a enxergar o país e o destino dos cidadãos como um compromisso de cada um. Quando reconhece que o coletivo é mais importante que o individual e os benefícios para a nação são mais proveitosos que os privilégios pessoais. O eleitor muda quando se convence de que o amanhã é mais grandioso que o "aqui e agora". Que voto não se vende. Que cargo político não se negocia, mas se conquista pela competência e pelo merecimento. O eleitor muda quando percebe que votar no palhaço, ou na celebridade, sem levar em conta a competência política do candidato, não é levar o país a sério. Quem quer mudança na política usa a democracia a seu favor, escolhendo bem seus representantes, com consciência, senso crítico e responsabilidade. Portanto, conscientização é o cerne do problema.

Política é lugar de gente de bem: pessoas competentes, éticas, engajadas com a coletividade, comprometidas com a justiça, a ordem, a paz social, a democracia e o futuro do país. Políticos existem para administrar cidades, estados e uma nação. São eleitos para propor leis e representar a vontade da maioria da população. Constituem o elo entre as demandas do povo e o poder de ação do Estado.

Infelizmente, há muito tempo a política partidária tem sido motivo de gigantesca frustração para os eleitores brasileiros. Celeiro de escândalos recorrentes, nossa política, salvo exceções, se tornou um grande reduto de corruptos e corruptores, de toda sorte de desonestos e aproveitadores, demagogos, ineptos e aventureiros. São tantas as indignidades envolvendo gestores públicos e parlamentares que muitas vezes o brasileiro confunde o noticiário político com a folha policial.

Mas, se a política partidária no Brasil tornou-se detestável, a culpa não é só do político que a exerce, mas também do cidadão que o elege. Político e eleitor são como efeito e causa; um não existiria sem o outro. Parafraseando Victor Hugo, há uma certa cumplicidade vergonhosa entre o mau político e o povo que o elege. Em entrevista ao Portal Terra, em maio de 2009, o professor Selvino Assmann, da Universidade Federal de Santa Catarina (UFSC), foi categórico:

> Os políticos são a cara do povo, por mais que não gostemos de nos ver espelhados assim. Eles representam as classes

124   O BRASIL TEM CURA

dirigentes, os industriais, os banqueiros, os intelectuais, os operários, os agricultores, a juventude, os homens e as mulheres. Essa *cara do povo*, que inclui a mentira e a corrupção, não é a cara do outro, mas é a *cara* de nós mesmos, a *cara* de uma coletividade. Por isso, de certa maneira, a crítica aos políticos deveria servir para uma autoavaliação, o que normalmente não é feito.[15]

Nunca é tarde para começar a fazer autocrítica e a necessária *mea culpa*, para mudar o critério de voto e os rumos do Brasil. Atitudes como renovar os quadros políticos podem transformar o país, pois é vital reciclar administradores públicos e parlamentares. Como isso é possível? Simples: basta parar de reeleger desonestos e políticos profissionais. Política não pode ser um feudo, pelo qual o poder passa de pai para filho. Tampouco pode ser refúgio intocável de criminosos do colarinho branco, sempre em busca de um mandato para lhes garantir foro privilegiado. A prática política é como o sacerdócio, uma missão para aqueles homens e mulheres destinados a fazer a diferença no país, comprometidos, acima de tudo, com os interesses dos eleitores.

Por meio do voto, a população também pode pressionar governos e parlamentos sempre que se sentir desprezada, desrespeitada, contrariada. Antes de ser uma autoridade, todo político é, acima de tudo, um servidor do povo, a quem também deve satisfações. No processo democrático, o povo não é um agente passivo. Qualquer um de nós pode participar direta e ativamente de decisões, como a elaboração de leis, por exemplo. Quando os eleitores se unem em prol de uma causa, mostram sua vontade e força. Um novo perfil de eleitor precisa emergir no Brasil, pois é inadmissível que, após trinta anos de redemocratização, o brasileiro não tenha aprendido a votar e ainda eleja e reeleja celebridades oportunistas, velhos "coronéis", falastrões, demagogos, corruptos de carteirinha e toda sorte de maus políticos que, há muito, deveriam ter sido varridos da cena política.

Votar com responsabilidade não é tarefa fácil. Dá trabalho ser um eleitor consciente: é preciso levantar o histórico político do candidato e ter a certeza de que seu passado e sua ficha são limpos. O eleitor deve conhecer a conduta do político e do partido que ele representa. Tem de saber quais bandeiras eles defendem: quais são seus valores, suas aptidões, seu currículo. E, por fim, questionar-se: esse candidato merece me representar?

Nunca esqueça: tão importante como eleger um candidato é acompanhar sua atuação uma vez empossado, pois a missão do bom eleitor não termina com o fim da eleição.

CONCLUSÃO

Eu sempre sonhei em fazer um jornalismo cidadão, atuante, analítico, verdadeiro, que ajudasse as pessoas não apenas a adquirir informações, mas principalmente a desenvolver o senso crítico e a mudar conceitos, escolhas e o destino do Brasil. Mas o jornalismo que eu conhecia era engessado, calculado; diria, até, amestrado. Nada fugia ao roteiro; era como se o jornalista fosse proibido de instigar o telespectador, de despertá-lo da cegueira, da inércia. Intrigava-me a postura de certos âncoras de TV, em particular, que após relatar um caso de violência ou corrupção faziam cara de paisagem. E aquele silêncio era constrangedor, perturbador. Não havia qualquer indício de emoção, a mínima demonstração de solidariedade com as tragédias ou de revolta com as injustiças. Era como se máquinas, e não pessoas, comunicassem os fatos. Aquilo não parecia natural. Não me soava, sequer, humano.

Quando optei pelo jornalismo, tinha o sonho de fazer diferença na minha profissão. Como toda idealista, eu também sonhava em mudar o meu país. Mas sempre soube que não poderia fazer diferença se não fosse, de fato, diferente. Não poderia fazer algo novo se meu jornalismo fosse convencional. Não poderia ser sincera, transparente, verdadeira como jornalista se me escondesse atrás da personagem fria e distante, teoricamente imparcial, indiferente às dores, aos absurdos e às injustiças. Definitivamente, eu não me encaixava naquele jornalismo robótico, programado para repetir as conveniências do dia. Se mergulhasse mesmo na profissão, não seria a jornalista sem emoção, sem lado, sem opinião. Queria ter voz, queria ter asas... Por que não?

Quando fui alçada ao posto de comentarista de um telejornal, decidi falar tudo o que estava preso havia tempos na garganta. Foi quando fiz a conhecida análise sobre o carnaval, no Tambaú Notícias. Foram três minutos e meio em que, legitimamente, dei voz à minha indignação e expus minha opinião sobre a festividade. Por ter ousado usar meu direito à livre expressão e contrariar interesses, poderia ter perdido o emprego e a credibilidade; poderia ter minha reputação profissional maculada. Mas, em nome dos meus princípios, corri o risco de ser sincera, transparente, verdadeira. Coloquei o dedo na ferida, rasguei as fantasias e, finalmente, falei tudo o que pensava sobre o carnaval.

Não foram poucos os que se voltaram contra mim e recriminaram minha postura profissional por não fazer o que eles chamam de "jornalismo autêntico". Muitos colegas escreveram artigos, publicaram notas e me acusaram de ser parcial e ter opinião, como se, para o jornalista, fosse um crime dizer o que pensa em seu espaço de trabalho, se a empresa jornalística o autoriza a isso. E não podemos esquecer que eles próprios, ao me censurar, expressaram sua opinião.

Apesar das críticas, a aprovação dos telespectadores e internautas foi maior, e a repercussão daquela postura tocou inclusive o maior comunicador do Brasil, Silvio Santos, que não só respaldou aquela forma corajosa de fazer jornalismo, como me ofereceu a mais importante vitrine da sua emissora para dar opiniões: o horário nobre. Pela verdade exposta, fui recompensada e alçada à bancada de um dos principais telejornais do país, o SBT Brasil, por onde já haviam passado grandes nomes do telejornalismo brasileiro, como Carlos

Nascimento e Ana Paula Padrão. Da bancada do SBT Brasil, ao lado de outros jornalistas de opinião, como Joseval Peixoto, José Nêummane Pinto, Denise Campos de Toledo e Carlos Chagas, passei a comentar os fatos diariamente e para todo o país.

O jornalismo opinativo e pioneiro do SBT Brasil despertou, no público, o gosto pela análise. A audiência do programa foi alavancada pelas opiniões. Meus comentários pautaram muitas discussões e debates. Fui convidada para inúmeras palestras em escolas, universidades, empresas e até para audiências públicas no Congresso Nacional. O compromisso com a verdade me rendeu prêmios de melhor âncora e melhor comentarista, entre eles o Troféu Imprensa.

Além da TV, passei a ancorar o programa matinal de maior audiência na rádio brasileira: o Jornal da Manhã, na Jovem Pan, sempre emitindo opiniões sem cabresto, sem censura, com a plena liberdade que só os grandes veículos são capazes de oferecer a seus profissionais. Minha voz ganhou um alcance que jamais sonhei atingir e, hoje, sou ouvida em todo Brasil: do litoral ao sertão, dos pampas aos seringais.

Se hoje falo a milhões, ontem poucos me escutavam. E pensar que tudo começou com um simples comentário, com a ousadia de uma brasileira comum que só queria fazer a sua parte para melhorar o país. As críticas, os obstáculos e as pedras de tropeço jamais cessaram. E é bom que não cessem. Estão no meu caminho para me lembrar de quanto sou pequena e quanto preciso melhorar a cada dia. Porque é nas fraquezas, nas críticas e nas perseguições que nos fortalecemos.

E por que falo sobre minha trajetória pessoal nesta conclusão? Para mostrar que é possível. Sou uma brasileira como milhões de outros que um dia teve um sonho e procurou agir com integridade e profissionalismo, ao mesmo tempo que aproveitou as oportunidades para dar voz à indignação. Com isso, tornei-me alguém que influencia e busca contribuir para fazer do Brasil um país melhor. E eu não sou em nada melhor do que você. Se eu consegui, você consegue. Todo brasileiro pode, com honestidade, postura ética e trabalho duro, contribuir para um país melhor.

Desculpem-me os pessimistas, mas eu acredito que para todos os males do Brasil há cura. Para todos os erros que cometemos há conserto. Creio que é possível rever valores, renovar a mente, arregaçar as mangas e passar o Brasil a limpo. A revolução pela paz e pelo bem é possível, e ela começa dentro de cada um de nós.

Por séculos, estivemos deitados em berço esplêndido, esperando que algum santo, herói ou estadista viesse nos redimir. Você não acha que já esperamos tempo demais? E... em vão? Estou cansada de esperar pelo "país do futuro", quando esse futuro sempre fica para depois. Estou farta do Brasil do "jeitinho", da justiça que tarda e que falha, da violência que impera, da impunidade que vence, da falta de segurança, da esperança adiada *ad aeternum*, pois, como escreveu o sábio rei Salomão, "A esperança que se retarda deixa o coração doente, mas o anseio satisfeito é árvore de vida".[1]

Desafio você a dar um basta em tudo o que faz mal ao nosso país. Convido-o a sair da letargia que o imobiliza e o impede de fazer o que poderia para ajudar o Brasil a passar por uma verdadeira transformação. Chega de apatia e inércia! Chega de discursos inflamados de paixão e vazios de ação! Chega de tentar empurrar para outros a responsabilidade que é coletiva e, principalmente, individual! Afinal, este é o *nosso* país e temos, *todos*, de trabalhar para torná-lo melhor, mais digno e mais justo, para transformá-lo na "pátria amada", a "mãe gentil" cantada nos versos do nosso hino nacional.

Para mudar o Brasil de fato, é preciso fazer a diferença entre os iguais. Mudar a si próprio. E, com isso, tornar-se luz na sociedade, aquele que aponta a direção, que se torna o guia na escuridão. E, se a transformação começa no *eu*, a primeira linha de

CONCLUSÃO   131

atuação para mudar o país é dentro da própria família, a célula mãe, a semente da sociedade. Precisamos moldar nossos filhos para serem cidadãos completos: íntegros, justos, politicamente conscientes, engajados e proativos. Filhos que construam o próprio caminho sem atropelar ninguém, que vençam na vida de forma íntegra, justa, leal, legal e honesta. Filhos que aprendam com o exemplo do pai e da mãe, nosso exemplo, pois somos o primeiro modelo, e o mais importante, que eles possuem. Portanto, quem quer um país melhor tem de aprender a ser, antes de tudo, um cidadão melhor, que inspire as novas gerações não só pelo discurso, mas sobretudo pelo exemplo. Essa missão vale para todos nós, brasileiros, independentemente de etnia, credo, condição social ou o que for.

Além da própria família, um cidadão melhor pode inspirar inúmeras pessoas a sua volta, no trabalho, no trânsito, na igreja, na comunidade, entre os amigos, nas redes sociais, onde for. Pois não é possível ser um bom sujeito da porta de casa para dentro e um velhaco lá fora. Para certos conceitos não há meio-termo: ou se é quente ou se é frio.

Estou farta de ver pessoas prostradas, vencidas pelo desânimo e pela desesperança. Elas não agem em favor do Brasil porque simplesmente não acreditam que o país pode mudar, que cada brasileiro pode fazer a diferença e, por isso, se acomodam ao derrotismo e se acostumam à mediocridade. Para elas, não há o que fazer. "Somos o que somos." "Isso é Brasil." "Nada vai mudar." "É tudo em vão." Porém, nada disso é verdade; há, sim, uma forma de mudar o Brasil: *mudando os brasileiros.*

A começar por mim. A começar por você.

Não somos reféns do triste passado que nos legaram. Somos senhores do destino que queremos ter.

Há um versículo inspirador da Bíblia, que sempre me estimula a perseverar quando as coisas parecem irremediavelmente perdidas: "Não se amoldem ao padrão deste mundo, mas transformem-se pela renovação da sua mente".[2] O texto foi escrito por Paulo de Tarso, um fariseu que perseguia, prendia e levava cristãos à morte, mas que, após uma experiência de transformação pessoal, acabou se tornando apóstolo de Cristo e o principal agente para a disseminação do evangelho entre os povos não judeus do primeiro século. Ele se tornou exemplo para os cristãos de todas as tradições, escreveu treze dos livros da Bíblia e influenciou bilhões de pessoas ao longo dos dois últimos milênios. Um só homem. *Um*, que, pela renovação da mente, foi capaz de gerar mudanças profundas em toda uma civilização, em incontáveis vidas.

Depois de mais de três séculos de opressão e violência contra os cristãos, o Império Romano acabou se rendendo ao evangelho. Por todo esse tempo, os seguidores de Jesus resistiram à perseguição, se entregaram ao martírio, nunca se intimidaram e jamais condescenderam com a idolatria ou com a injustiça dos reis. Então, no ano 313, o imperador Constantino cessou a perseguição aos cristãos e, em 390, o imperador Teodósio transformou o cristianismo na religião oficial de Roma. Mesmo diante de tantos reveses e perdas, os cristãos, enfim, venceram; sem armas, sem guerras. Ao renovar a mente, como estimulado por Paulo e, antes dele, pelo próprio Jesus de Nazaré, eles mudaram o destino do poderoso Império Romano, do mundo... e da história.

A renovação da mente é o primeiro passo para a mudança de atitude. Mas é preciso ter coragem para fazer diferente. Lá fora, tudo nos desencoraja. O mundo parece igual: igualmente injusto, desonesto, desleal. Por que seria você aquele a nadar contra a correnteza? Por que seria você aquele a dar o primeiro passo e a fazer a diferença? Por quê? Porque alguém tem de fazer algo. E esse alguém pode ser você. *Tem de ser você*.

Não olhe para o lado. Não espere o vizinho começar a agir corretamente para fazer o que é certo. Não espere surgir o político honesto para ter retidão. Não espere que outros falem para, só então, fazer coro. Não espere uma revolução externa para mudar internamente. Não espere do outro aquilo que você mesmo pode fazer.

Se cada um, individualmente, realizar o que lhe cabe, dentro das suas possibilidades, limitações e aptidões, faremos a diferença. E, assim, fazendo cada um a sua parte, vamos mudando o todo. Acredite: o Brasil tem cura. Esta nação tem jeito, e você é parte da solução. Então, tome uma posição, faça a diferença e mãos à obra! Nós temos um país inteiro para transformar. E estamos apenas começando.

NOTAS

Capítulo 1
[1] São Paulo: Companhia das Letras, 1995, p. 46.
[2] Idem, p. 44.
[3] Idem, p. 49.

Capítulo 2
[1] Disponível em: <http://www.saude.com.br/site/materia.asp?cod_materia=380>. Acesso em: 12 de ago. de 2014.
[2] Disponível em: <http://www.mapadaviolencia.org.br/mapa2014_jovens.php>. Acesso em: 17 de jul. de 2014.
[3] Disponível em: <http://www.nosrevista.com.br/2009/02/04/igualdade-social-um-valor-a-ser-questionado/>. Acesso em: 16 de out. de 2014.
[4] Disponível em: <http://www.brasilsemmiseria.gov.br/noticias/ultimas-noticias/2013/fevereiro/brasil-sem-miseria-retira-22-milhoes-de-pessoas-da-extrema-pobreza>. Acesso em: 24 de set. de 2015.
[5] Disponível em: <http://www1.folha.uol.com.br/fsp/poder/147091-mortos-sem-pedigree.shtml>. Acesso em: 22 de set. de 2015.
[6] Disponível em: <http://pt.slideshare.net/blogdejamildo/os-homicdios-no-nordeste-brasileiro>. Acesso em: 9 de set. de 2015.

[7] Disponível em: <http://wagnerfrancesco.jusbrasil.com.br/noticias/129733348/cnj-divulga-dados-sobre-nova-populacao-carceraria-brasileira>. Acesso em: 9 de set. de 2015.

[8] Disponível em: <http://www.jcom.com.br/noticia/151541/Homicidios_sao_principal_causa_da_morte_de_jovens_negros_no_Brasil_diz_pesquisa>. Acesso em: 24 de set. de 2015.

[9] Disponível em: <http://g1.globo.com/jornal-da-globo/noticia/2014/04/maioria-dos-crimes-no-brasil-nao-chega-ser-solucionada-pela-policia.html>. Acesso em: 9 de set. de 2015.

[10] Disponível em: <http://www.cnj.jus.br/sistema-carcerario-e-execucao-penal/cidadania-nos-presidios>. Acesso em: 9 de set. de 2015.

[11] Disponível em: <http://noticias.uol.com.br/ultimas-noticias/efe/2014/06/05/brasil-tem-567655-presos-em-prisoes-com-capacidade-para-357219-internos.htm>. Acesso em: 9 de set. de 2015.

[12] Disponível em: <http://congressoemfoco.uol.com.br/noticias/presos-por-corrupcao-sao-apenas-01-no-brasil/>. Acesso em: 9 de set. de 2015.

[13] Disponível em:<http://g1.globo.com/politica/noticia/2014/05/investigado-por-ameaca-barbosa-diz-que-fez-idiotice-e-se-arrepende.html>. Acesso em: 9 de set. de 2015.

[14] Disponível em:<http://www1.folha.uol.com.br/poder/2014/02/1418684-supremo-derruba-crime-de-quadrilha-e-beneficia-dirceu-e-mais-sete.shtml>. Acesso em: 9 de set. de 2015.

[15] Disponível em: <http://g1.globo.com/Noticias/Brasil/0,,MUL988826-5598,00-STF+DECIDE+QUE+REU+SO+PODE+SER+PRESO+APOS+CONDENACAO+DEFINITIVA.html> Acesso em: 9 de set. de 2015.

[16] Disponível em: <http://www1.folha.uol.com.br/fsp/mais/fs2802201004.htm>. Acesso em: 9 de set. de 2015.

[17] Disponível em: <http://www.conjur.com.br/2013-mar-02/joaquim-barbosa-juizes-brasileiros-mentalidade-pro-impunidade>. Acesso em: 9 de set. de 2015.

[18] Disponível em: <http://www.ibpt.com.br/img/uploads/novelty/estudo/1266/NormasEditadas25AnosDaCFIBPT.pdf>. Acesso em: 9 de set. de 2015.

[19] Disponível em: <http://www.midianews.com.br/conteudo.php?sid=6&cid=206659>. Acesso em: 9 de set. de 2015.

[20] Disponível em: <http://oglobo.globo.com/sociedade/educacao/brasil-o-penultimo-em-ranking-internacional-de-investimento-por-aluno-13873118>. Acesso em: 9 de set. de 2015.

[21] Disponível em: <http://oglobo.globo.com/sociedade/educacao/brasil-gasta-com-presos-quase-triplo-do-custo-por-aluno-3283167>. Acesso em: 24 de set. de 2015

[22] Disponível em: <http://unesdoc.unesco.org/images/0022/002256/225654por.pdf>. Acesso em: 9 de set. de 2015.

[23] Disponível em: <http://noticias.r7.com/educacao/brasil-tem-13-milhoes-de-analfabetos-18092014>. Acesso em: 9 de set. de 2015.

[24] Disponível em: <http://g1.globo.com/educacao/noticia/2014/04/brasil-fica-entre-ultimos-em-teste-para-estudantes-resolverem-problemas.html>. Acesso em: 9 de set. de 2015.

[25] Disponível em: <http://g1.globo.com/educacao/noticia/2014/09/ideb-fica-abaixo-de-meta-no-ciclo-final-do-ensino-fundamental-e-no-medio.html> Acesso em: 9 de set. de 2015.

[26] Disponível em: <https://www.timeshighereducation.com/world-university-rankings/2015/world-ranking>. Acesso em: 9 de set. de 2015.

[27] Rio de Janeiro: Forense, 1997, p. 54-56.

[28] Disponível em: <http://jovempan.uol.com.br/radio/?listen=&last=/opiniao-jovem-pan/comentaristas/rachel-sheherazade/o-crime-e-uma-escolha-de-ricos-ou-pobres-nao-uma-imposicao.html>. Acesso em: 17 de ago. de 2015.

[29] Disponível em: <http://7a12.ibge.gov.br/voce-sabia/curiosidades/cidade-com-nome-de-santo>. Acesso em: 17 de ago. de 2015.

[30] Disponível em: <http://exame.abril.com.br/brasil/noticias/um-perfil-dos-cristaos-do-brasil-em-11-numeros>. Acesso em: 24 de set. de 2015.

[31] Disponível em: <https://www.youtube.com/watch?v=bMUf_SMYqmM>. Acesso em: 5 de mai. de 2015.

[32] Idem.

[33] Disponível em:<http://noticias.gospelmais.com.br/cristofobia-marco-feliciano-marisa-lobo-ameacas-crenca-41229.html>. Acesso em: 5 de mai. de 2015.

[34] *Niilismo*. Rio de Janeiro: Jorge Zahar, 2007.

[35] *Pergunte e Responderemos*, ed. 531, 2006, p. 394.

[36] Disponível em: <http://formacao.cancaonova.com/atualidade/sociedade/o-relativismo-no-ambiente-da-fe/>. Acesso em: 24 de set. de 2015.

[37] *Sobre verdade e mentira no sentido extra-moral*. São Paulo: Hedra, 2007.

Capítulo 3

[1] Disponível em: <http://jus.com.br/artigos/29642>. Acesso em: 23 set. 2015.

[2] *IstoÉ*, ed. 1578, 29/12/1999.

[3] Disponível em: <http://g1.globo.com/fantastico/noticia/2015/07/moradora-faz-pressao-e-vereadores-em-vez-de-aumentar-cortam-salarios.html>. Acesso em: 23 de set. de 2015.

[4] *Pais admiráveis educam pelo exemplo*. São Paulo: Mundo Cristão, 2013, p.19-20.

[5] Disponível em: <http://br.monografias.com/trabalhos3/negro-livros-didaticos-papeis-sociais/negro-livros-didaticos-papeis-sociais.shtml>. Acesso em: 24 de set. de 2015.

[6] Disponível em: <http://veja.abril.com.br/blog/radar-on-line/internet/acusado-de-sonegacao-por-ex-ministro-google-esta-entre-os-maiores-pagadores-de-impostos-da-cidade-de-sao-paulo/>. Acesso em: 3 de ago. 2015.

[7] Disponível em: <http://economia.uol.com.br/noticias/redacao/ 2015/04/22/balanco-petrobras.htm>. Acesso em: 3 de ago. 2015.

[8] Disponível em: <http://www1.folha.uol.com.br/cotidiano/ 2014/ 11/1545760-numero-de-mortes-no-transito-tem-maior-queda-no-brasil-desde-1998.shtml>. Acesso em: 17 de ago. de 2015.

[9] Disponível em: <https://pt-br.facebook.com/DiariodeClasseSC>. Acesso em: 3 de ago. de 2015.

[10] Disponível em: <http://g1.globo.com/mundo/noticia/2013/10/ saiba-quem-e-malala-yousafzai-paquistanesa-que-desafiou-os-talibas.html>. Acesso em: 3 de ago. de 2015.

[11] "À sombra das chuteiras imortais". *O Globo*, 12/8/1966.

[12] Idem.

[13] *Convulsão protestante*. São Paulo: Mundo Cristão, 2015, p. 59-60.

[14] Disponível em: <http://agenciabrasil.ebc.com.br/politica/ noticia/2015-07/avaliacao-do-governo-dilma-rousseff-cai-para-77-em-julho-mostra-pesquisa> Acesso em: 10 de set. de 2015.

[15] Disponível em: <http://noticias.terra.com.br/brasil/politica/ para-mudar-politica-so-mudando-sociedade-diz-especialista ,fe4a3e232cb4b310VgnCLD200000bbcceb0aRCRD.html>. Acesso em: 17 de ago. de 2015.

Conclusão

[1] Provérbios 13.12.

[2] Romanos 12.2.

SOBRE A AUTORA

Rachel Sheherazade é jornalista, apresentadora de televisão e radialista. É casada com Rodrigo e mãe de Clara e Gabriel.

Compartilhe suas impressões de leitura escrevendo para:
opiniao-do-leitor@mundocristao.com.br
Acesse nosso *site*: www.mundocristao.com.br

Equipe MC:	Maurício Zágari (editor)
	Daniel Faria (editor assistente)
	Heda Lopes
	Natália Custódio
Diagramação:	Felipe Marques
Gráfica:	RR Donnelley
Fonte:	Minion Pro
Papel:	Pólen Bold 70g/m² (miolo)
	Cartão 250 g/m² (capa)